# トルソー

第六号

2021.1

『トルソー』第六号　目次

〈書　評〉

# 魂の故郷は苦しみと喜びとともに

## ――立野正裕著『紀行　ダートムアに雪の降る』

山本恵美子

一

「六年ぶりのダートムア再訪はわたしにとってある意味で『帰郷』と言っていいほどの意味を持っていた」（二二二頁）。この一文には、本作の主題が端的に示されている。

物語は冬のある日、「わたし」がダートムアへの旅から帰宅した場面から始まる。

「わたし」は精神科医の男性だ。一回目のダートムアの旅には同伴者の女性がいた。その女性を「わたし」はおつうさんと呼んでいる。一方の「わたし」はおつうさんからドックと呼ばれている。もともとドックとおつうさんは医者と患者として知り合い、やがて付き合うようになった。しかしドックは妻子ある身だった。そのことは終盤まで部分的かつ暗示的に記されるだけなのだが、残りの章もわずかとなったところで、主人公とおつうさんの書簡から明らかになる。それがまさに、二人の向き合わなければならない問題だった。その時点で付き合って八年となる二人が、新たな関係を築くために必要な作業だった。そしてその契機を与えたのが、イギリスのダートムアだったのだ。

ダートムアから帰国し家に着いたドックに「彼方の人」おつうさんから小包と手紙が届いていた。小包を開け、おつうさんの手紙に目を通すドック。すると、旅から戻ったばかりのドックの精神は、かの地に呼び寄せられるように、再びダートムアへ飛んで行く。旅が終わってからが本当の旅の始まりとも言えるだろうか。

ドックは、六年前におつうさんとともにしたダートムアの旅の記憶、一人でダートムアを再訪した今回の旅の記憶、故郷である遥野で過ごした少年期の忘れがたい人の記憶、書物、研究の知識など、馬にまたがった旅人のごとく、縦横無尽に思考を疾駆させる。

果たしてドックはダートムア再訪をどのような気持ちで実行したのだろう。その旅の間、どんな気持ちだったのだろう。六年前のダートムアへの旅では、おつうさんが隣にいたのだ。それなのに、再訪の旅は一人きりだ。その理由は最後の最後まで明かされないのだが、六年前と現在とで、かなり事情が異なっていること、それがあまり幸福な変化とは言えそうもないことは、冒頭から感じられる。悲しい変化が六年間のどこかで生じている。「もう一度、今度は冬に行こう」とかつて二人で語っていたのに、一人で行かなければならなかった。それはどれほど寂しく、切なく、悔しく、悲しいものであろう。しかし、ドックはダートムアに行かなければならなかった。二人のために、何よりも自分のために。

ここに、自らの生を真に生きるとはどういうことかに向き合い、もがき苦しみながら、しかしそれが新たな未来をつくっていくと信じ、魂を通わせた二人の人間がいる。「ダートムアに雪の降る」はその記録であり、証でもある。そのことにわたしは感動するのだ。だからわたしの興味も、第十九章以降に対して俄然、強いのである。間違いなく本作の佳境だと思う。

## 二

第十九章までは、どちらかというとドックの一人語りという趣がある。読者はドックの思考の流れにどっぷり浸かる感じだ。連想に連想が連なっていく。ドックの思考の流れに乗り、読者は旅をする。

ドックがダートムアに特別の感情を持つようになったきっかけは、故郷のサンタロである。サンタロが聞かす物語にドックは夢中になった。さしずめ、ドックにとってのシェヘラザーデと言えるだろうか。サンタロは男性だから、女神ではないけれども。

それらの物語群を、わたしは記憶の書庫のなかでも黴のつかない特別の棚に、いわば私家版とでもいったおもむきで今も懐かしく所蔵しているのである。

（二八四頁）

これはサンタロの物語の才能に対するドックの素晴らしい賛辞に違いない。とても好きな一文だ。

さて、何を隠そうこのサンタロの語ったコナン・ドイルの『バスカヴィル家の犬』の物語が、ドックのダートムアのイメージをはじめに形づくっている。それはまずもって「えぐりすのだあとまぁ地方」にある底なし沼「ぐるんぺ」の恐ろしいイメージである（ところで、故郷の思い出では、方言の音の表現が面白い。きっと、東北の方言に馴染みのある人は、読むと自然と耳に聞こえてくるのだろう）。サンタロの粋な（？）アレンジではドックの大嫌いな蛭のイメージもくっつき、ダートムアはドックにとって陰と陽が綯交ぜとなった、特別な土地となった。以来、そこに自分は必ず行くのだという定めをすらドックは抱いていた。

そのサンタロはしかし、若くして死んでしまう。「自分の才能の価値を自覚する暇もないうちに物語術の名人は一枚の煎餅となってこの世を去った」（三一九頁）とドックは述懐している。敬愛していた兄のような存在を失ったことの叙述として、とてもドライである。この淡白な語りが好きだと思った。感情を挟まず、ただ、稀有な才能を持った人があっけなく死んでしまったという喪失の事実を伝えている。その淡白さがむしろ、逆説的に、語り手の悲しみ、無念、怒りを表すかのようだ。なぜサンタロが死なねばならなかったのか。工事現場の危機管理がもっとなされていれば、サンタロは死なずに済んだはずである――このような思いが、このドライな語りに実は、織り込まれているような気がしてならない。

## 三

ダートムアとの出会いは少年の時だったが、実際の訪問はドックが成長してもなかなか実行されなかった。いつかダートムアに自分は行くと思いながら、「いつか」は「いつか」のまま時が流れ、憧れも忌避もいつしか霞んでいった。しかし、それを変えた人がいる。神託のように、あるいは鶴の一声のように、「ダートムアに行こう」と言ったのは、ほかならぬおつうさんであった。それは、職場の問題からドックが精神的な危機に陥り、連日の悪夢に苛まれているときであった。おつうさんはドックの患者であるけれども、同時にドックの精神を支える存在でもあったのだろう。いずれにしても、おつうさんにそう言われなければ、今も不定の未来に先延ばしにしていたに違いないと、ドックは語っている。

本作では「ペンティメント」という言葉が何回か登場する。おつうさんとの思い出があるから、余計にドックには大切な言葉となっている。小説の一節を読むおつうさんの声が読者に聞こえるのは、物語の終わりにさしかかったときである。物語の中盤では、「いい？　聞いててね、ここのところ」（二〇五頁）とおつうさんが言ったと、ドックは書くにとどめている。このペンティメントは、物語のテーマと密接に関わるような気がするのだが、わたしはそれをなかなか掴み取れずにいた。最後まで小説を読み終え、なおかつ、さまざまに自分の頭で考えていくうちに、ペンティメントは魂の故郷と関わるのではないかと思うようになった。

ドックとおつうさんは旅の間、互いの日本の住所に宛て手紙を書いていた（それはいつしか手渡しとなるのだが）。それらを現在のドックが顧みる。たとえば次のようなことをドックはおつうさんに宛てて書いていた。

自分の生活にじつはなにも面白いもの・奇異なものがない。そのことに対して、それと同時にそうとしか思えない自分に対して、わたしは腹を立てている。

（二四三頁）

自分が生来か後天的にか卑怯者である事実をごまかすために自分を卑怯者としてしきりに吹聴しようとする意識は、その意識の働き自体がすでに度しがたく卑怯な心理に絡め取られていると言わなければなりません。なぜならその度しがたさは自然に反しているところから来るものでありながら、あたかも自然に即しているように見せかけようとするからです。ひるがえってユダとペテロの卑怯さの微妙にして決定的な相違もまた、おそらくはそこいらあたりに存在するのではないかとさえわたしは思っています。

（二四四頁）

さっさと見切りをつけてしまう処世の知恵は、知恵でもなんでもなく、卑屈か卑怯さの屈折した表れでしかないとドックは言うのだ。このくだりは、ドックの抱えている内面の問題と深く関わるように思えたから、一読してわたしは付箋を貼ったのだった。

この自分の手紙を読み返した現在のドックは、これはおつうさんに向かって直に心からなにかを語りかけようとしている言葉とはとても思えないと、自己批判している。しかしドックの手紙は、おつうさんとの旅を続けるなかで、変わっていった。

## 四

前述したが、本作で特にわたしが引き込まれていったのは、読者にドックとおつうさんの関係が深くわかるようになる、第十九章からだ。それまでは、ドックの一人語りのようでもあった。それかあらぬか、その感覚と小説の内容がリンクするように、おつうさんの手紙にも、「わたしはなによりドックのこういう文章が読みたかったのでした。八年前からずっと今までこのときを待っていたような気さえしています」(三五三頁)とある。

ところで、ドックは小説家でもあったようだ。おつうさんへの手紙でドックが引用する自身の小説の創作メモがある。長編小説『断片』からの一場面だ。Aという人物はドックが置かれているものと近い境遇にある者として設定されていることが、読者にも直感的にわかる。この場面のテーマとなっているのが、自己本位に生きること――夏目漱石の言葉を借りる(『私の個人主義』より)――であり、世間に抗うことである。

正直に生きることはさまざまな衝突を生むため、生きるのが苦しくなる。社会的に平穏な暮らしを求めるなら、自分をごまかして生きることだ。多くの人はそれを選ぶ。それが社会人として望ましいとさえ、人々は思っている。それが大人である。世の中に順応していけ。

これが生きるということなのだろうか? ドックは「否」と言わなければならないと、自分自身に言っているように思う。わたしも、己に正直に生きることが、自我を持って生きる人間の生きて行く条件だと思う。

しかしわたしはここで、自分は女であるから、妻の心情はどうであるかも想像してみたくなった。Aの妻は「夫としてはあなたは最低の男だけれども、人間としては正直だと認めないわけにはいかない」(三三四頁)と言った。夫が浮気ではなく、遊びでもなく、真剣に愛する女性を見つけてしまったことは、妻にとって悲劇である。夫の精神の深くに影響を与え、家庭を捨てることになろうとも「自分に正直になろう」という生き方の転換を――その相当な覚悟を夫にさせたのは、自分以外の女性であるという、残酷な現実が目の前に出現するからだ。けれどもそれは起こってしまった。夫の人生にその女性が現れ、夫の世界が変わった。否応なく、妻の世界も無傷ではいられない。

わたしは己に正直に生きることがAにとってどうしても必要だということを理解できると思うし、Aの思想に心から賛同もするけれども、もし自分が結婚し子供もいて、夫に他に愛する人ができてしまったら、そして、Aのように告げられたなら、果たして、納得して別れることができるだろうか。わからないというのが正直な気持ちだ。人間とは身勝手であるから、自己本位の生き方が大事だと一方では思いながら、自分と子どものために浮気だと嘘をつき、家庭を守ってほしかったと思ってしまう可能性を、わたしは否定できない。

しかし反対に、自分が夫以外の人間を深く愛してしまう可能性もあるわけだ。そのとき、夫に自分を偽ってほしいと願ったことが、自分に跳ね返ってくる。自分がやりたくないことを人には要求するというのは、わたしの倫理観に反する。であるならば、道は二つだ――他人にも嘘を求め、自分も嘘をつき世間の中で平穏を装い暮らしていく道か、たとえ家族が崩壊しても、互いが己に正直に生きる道か。質の異なる苦痛がどちらの道にもある。わたしは、後者の苦痛を選びたい。選べるだろうか。

## 五

おつうさんの手紙によれば、それまで八年間交際していた二人が、ダートムアをはじめイギリスやヨーロッパを歴訪する旅のなかで、互いに歩み寄っていった。旅を通じて自己の問題と向きあうこと、手紙のやり取りを通じて、その作業を互いに共有することを二人は行っていく。矛盾に目を向けはじめた自分を「あなたの目に見えるようなかたちで表わすこと」（三五六頁）が何よりも大切だとドックはおつうさんに書いている。この時の二人の手紙のやりとりは、生そのものである。

ドックの小説のAは「つまり男と女の関係、夫と妻の関係、親と子の関係、そのほかいわゆる『世間』に含まれるあらゆる人間関係が新しい照明を浴びることになるかもしれないのだ」（三四三頁）と語るが、まさに、ドックとおつうさんはそれを実践しようとしていた。

おつうさんの手紙にはこうある。

当人同士だけの契約――それぞれが独立した意志を持つ主体同士であることを確認し合うような契約を交わした関係は、ひとときで終わってしまうような関係でなく、長く続く男女関係を作り上げてゆくためにどうしても必要なことのように思います。

（三六五頁）

『契約』は一度結んでしまえば自動的に無期限に継続するわけではない。危機が感じられるそのつど二人のあいだで更新してゆくべきものなのでしょう。

（三六六頁）

このように語ることのできるおつうさんは、ドックにとって妹の力を感じさせる女性であるに違いない。おつうさんという呼名には、日本の民話「鶴の恩返し」のおつうはもちろん、「雪女」のおゆきも重ねられている。

それだけでなく、おつうもおゆきも物語の最後に彼方へと去ってしまうことを考えると、彼方の人という呼名とも結びついていることがわかるのだ。

おつうさんは、ドックが矛盾に向き合おうとしている、矛盾の中身を新たに形づくりつつあるということに不安以上のものを感じる、と正直に言うことができる女性だ。それと同時に、その不安を克服していこうとしている。ドックの矛盾の問題を自身も考え抜くことを通して、すなわち、それぞれの問題を互いに共通の危機として考えていくという姿勢を取ることができる女性なのだ。

ドックにとってだけでなくわたしにとっても、おつうさんの手紙は珠玉の文章ばかりで、引用し出したらきりがなくなると思われる。それでもいくつか、わたしが大切にしたい言葉を書かせていただく。

あなたからお手紙をいただいて読ませていただくこと、そしてあなた宛てにこういうふうに返事を書くことが、わたしの表現の手だてでもあり、それと同時にあなたと語り合うことが、わたしの表現そのものなのです。こうして互いに内面を見つめる作業を続けながら外へ向けて自分がなにを表現したいのか、どう表現していったらいいのかを考えていきたいのです。

（三五三頁）

わたしたちは今それぞれ二つの石をつなぎ合わせようとしているところなのかもしれませんね。二人のあいだが強固につなぎ合わされ、またわたしたち二人の石だけでなく別の誰か――その人はわたしたちと同じように問題を抱えている人でしょう――そういう人たちと手をつなぎ合うことができれば、独自の『建物』を造ることにもなるわけです。こうして互いに手紙のやり取りをしながら……。（三五三頁）

言葉というものの複雑なはたらきのなかで自分の心のなかが間接的に距離をもって表わされ得ること、人間の『ほんとうの気持』といってもいろいろな層が組み合わさってできているということなどが分かってきたのは、驚きに満ちた発見と言わなくてはなりません。

（三八四―五頁）

そしておつうさんは、自分の手紙の中で以下のドックの言葉も引用している。

なにしろわたしは書かなければならない。それはわたしが自分を見失わないためにどうしても必要なことだからです。そしてあなたを見失わないためにも。

（三七三頁）

「ダートムアに雪の降る」は、小説家であるドックが書かねばならなかった小説でもあるのではなかろうか。

## 六

ドックにとって、あるいはおつうさんにとって、ダートムアはどんな意味を持つのか。魂の故郷という意味はなんであろう？　おつうさんは、ダートムアの湿地が自分たちの人生にふさわしいと語っている。そんなおつうさんの言葉を吟味していて思ったのは、ダートムアはこれまで歩いてきた道、そして、これから歩いていく道を思い出させる土地であるということだ。

旅をすることは苦しいことである。わたしはそれを知った。魂の故郷を尋ねることは、それが魂の故郷であるからこそ、楽しいよりも苦しいのだ。人間にとって真に必要なことは、常に苦しみを伴うものなのではないだろうか。旅をすることも、ものを書くということも、その行為に内面の問題（たとえば矛盾など）と向き合うということが重ねられているかぎりにおいて。

そして、魂の故郷を旅することは、さながらペンティメントのようでもあるのだろう。ペンティメントとは油絵における現象だ。長い年月の間に重ね塗りされた絵具の上の層が透明になり、かつて描かれていた線が見えてきて、画家の描き直しの跡が姿を現すことをいう。ダートムアも、あるいは東北の町も、年を経るごとにその姿を変えていく。再訪したときに旅人は失望するかもしれない。しかし、それにもかかわらず、旅人の目には故郷の姿がやはり見えているのである。

旅を終えたドックの心には、雪が降っている。結末は哀切を帯びている。これまでのドックとおつうさんの、傷つくことを覚悟しながら実践された魂の対話を見てきたわたしは、涙がこみ上げてきた。精神を苛まずにはいられない、己に正直に生きる苦しさと、その苦しさを分かち合える存在と対話できる至上の喜び。その二つがこの小説にはある。

「ダートムアに雪の降る」は、生きるということの追求を文学的に実践する二人の人間の存在の証である。仮構に対して証というのは変であろうか？　しかし、仮構こそが真実を語り得るときがあるのだ。「ダートムアに雪の降る」は作者が渾身を込めた小説であり、紛れもなく文学である。

〈書　評〉

# 立野正裕氏の近作を読む

## ——「紀行　ダートムアに雪の降る」その他

牧子嘉丸

1

A—最近の著者の出版数はちょっと目を見張るものがあるね。彩流社刊「百年の旅」「紀行　辺境の旅人」、リバティアカデミーブックレット「『遠野物語』とその周辺2」「世界の『聖地』を旅する　第四の旅路」の二冊、それに近作「紀行　ダートムアに雪の降る」。ここ一二年の出来事のように思うが、それぐらいたてつづけに出版された。

B—これは著者が長い間の大学勤務から自由になって、余暇ができたと見るむきもあるが、それより現役時代からの積み重ねがいかに大きかったか、だね。

よく定年を迎えたら、「小説でも書いてみよう」とか「自分史でもまとめてみよう」という御仁がいてそれは結構なことだが、実際はそうやすやすと創作でも研究でも出来るものじゃない。

A—著者の仕事を垣間見るに、筆録はもちろんのこと映像や音声の記録も欠かさないようだ。たとえば紀行文については、事前の下調べや調査、旅行中のメモや撮影、そして帰国後の回想・記録・執筆と、きちんと積み重ねられてきたからこそ、連続的な著作も可能なのだろう。やはり絶え間ない読書・思索と文章の修練の成果というべきだね。

「百年の旅」については前号で山本恵美子さんがていねいに紹介されているので、その続編「紀行　辺境の旅人」についても一篇だけ簡単にふれておきたい。第十章に「イギリスから来た男　イタリアへの旅　その一」というのがあるでしょう。古代都市の遺跡があるポンペイの近くにアマルフィという海岸駅があり、その高台にラヴェッロという素晴らしい眺望をもつ村がある。そこで英国紳士と日本のプロフェッサーが出会う。
B―マン・ミーツ・マンというか、ちょっと似た二人の出会いだね。教授はもちろん、この紳士も教養・知性も抜群で、歴史の造詣も深い。旅行好きで、各地を旅して共通の話題に事欠かない。もっとも大事なことは、互いに愛するひとを失くしていることだ。
A―そう。紳士は二十七歳の娘を白血病で亡くし、教授の方は、同学同好の異性の友人が急死している。娘は社会的見聞を広めるために世界各地を旅する積極果敢な自立的女性であり、かたや女性教授はケンブリッジ大学に研究留学し、いきなり原稿を老舗マクミラン社に持ち込んで出版に成功するという才媛である。生前このラヴェッロをこよなく愛した。そのよすがを求めて一人は英国から、もう一人は極東からこの地を訪れて出会う。
B―生者が亡き人の思い出をもとめて、偶然に出会い、物語るというストーリー。哀切で感動的な作品だね。ともに得難いひとであっただけに、その喪失感は何をもっても埋めがたい。
A―最後の一節を読んだときは、胸がいっぱいになったな。同じ宿で出会った英国紳士の熱心なすすめで女神ケレスの像を見てきたと、亡き女性教授Mさんに呼びかける。
　あなたもつぶさに見たにちがいない「女神像の写真像を撮ったので同封しましょう。いかがです、なつかしいでしょう。この写真を目の前に見ているわたしは、あなたがなつかしいです」。
　読み終えたときには、なぜか『カッチーニのアヴェ・マリア』が耳元に静かに流れ出したね。
B―本当に、そりゃすごいな。
A―ごめん、うそです。ちょっと盛りました（笑い）。でも、半分は本当なんだ。クラシックの好きな妻が、えらく気に入って聞かせてくれた。こんなバージョンもあるんだって。そのとき、読んだばかりのこの作品をふと思い出したんだ。ローマ神話のケレス像とマリアは宗教的にちがうとか何とか、衒学的なことを言ってせっかくの感動をこわさないでよ。
B―そんな野暮なことは言いません。つまり、Mさんにこめた主人公の祈りの感情があの歌の響きに共鳴し、琴線にふれたということだろう。
A―そういうこと。著者には笑われるかもしれないけどね。ブックレットの方で何か感想はない？
B―「『遠野物語』とその周辺2」所収の「遠野物語の

土俗的想像力」は、推理小説的文芸批評、もしくはクリティカル・ミステリーを感じたね。もちろん、そんな言葉はないが、ちょっとした違和感からはじまって、それが疑念となり、やがてその正体を発見するというスタイルなんだ。そこが面白い。

まず三島由紀夫の「遠野」にふれた例の有名な小説論を枕にして、次に篤実な郷土史家菊池照雄の三島評を紹介する。転では思い切りぶっ飛んで、スペインの詩人ロルカとの対比・比較がなされる。最後は菊池ら幾人かの佐々木喜善の評伝をバッサリ斬り捨てた著名な研究者への痛烈な批判で閉じられる。まさに起承転結の展開だね。

A—いったい、その研究者は何を以て、バッサリ斬り捨てたのかな。

B—つまり、菊池ら郷土の作家は喜善の著作や文章を読まずに、興味本位にその人生を描いている。人生への興味ではなく、残されたテクストを読め、というんだね。「喜善が残した文章をさしおいて、その人生だけをドラマ化する」のはけしからん、というずいぶん、上からの権威的な裁断なのだ。著者はそこにこの研究者の文学・芸術への無理解・偏見を見、また「人間苦」を看過する民俗学や学問はあるのか、という鋭い問を投げかけている。

A—なるほどね。著者は退官後も大学の社会人講座に出ているが、元同僚だか事務局の人だかに「先生みたいな人情味のある人はいなくなった」と言われたと話してくれたことがある。もちろん、自慢じゃない。むしろそのときの表情は暗くて厳しかったな。深刻な問題があるのかどうか知らないが、アカデミズムの世界でも人間味のある大学人が少ない現状なんだろうね。そんなことを思い出した。

B—チェーホフの「ワーニャ伯父さん」に出てくる何とかいった退職教授がいたでしょ。無自覚なエゴイスト、中身のない学問屋、鼻持ちならぬエリート意識。他者の苦しみや人生苦に我関せずという人間は、いつの時代にでもいるんだね。

## 2

A—さて、最新作「紀行　ダートムアに雪の降る」についてだが、この本には表題作を含む六編の中短編が収められている。自伝・創作・随筆・往復書簡とジャンルは様々である。大きくいえば、人生紀行文であり、テーマは根源をめぐる旅といえる。

B—この作品の語り手はみな「わたし」という一人称で語られているね。日本の独特な私小説の伝統にならされてきた読者は、作者と「わたし」という語り手を同一人物、ないしは等身大の反映とみなし勝ちだが、ここはちょっと注意が必要だ。作者の体験・実話と読んでもいい作品もあるが、虚構もある。

Ａ―まず読者に親しみやすい作品から案内していくと、「光陰」という短篇がいいだろう。

　主人公「わたし」が岩手県に住む老母に付き添って、亡き父の遺骨を分骨してもらいに福岡県久留米市に出かける。が、すでに半世紀を閲した遺骨は寺でも所在が知れず、やっとビニール袋に他人の骨と交じって入れられているのをお堂で発見する。仕方がないので、その中から七、八へんを持ち帰るという話。

　この話をしたら、郷里の知り合いは笑ったそうだが、まさにどこの馬の骨ならぬ他人の骨が混じっているかもしれぬから、可笑しいことではある。悪気はないが、そこに悲しみを知らねば情けを知らぬことでもある。

Ｂ―「やっぱり遅すぎたかねぇ。かれこれ五十年ぶりだものねぇ」という母親の述懐に、深い思いがこめられているよね。半世紀を経て夫の菩提を身近に弔いたい母と、とっさの機転を利かしてそれを叶えようとする息子の姿は微笑ましくもあり、悲しくもある。

Ａ―家庭的な些事であり、なんの変哲もない出来事ではあるが、ここから「わたし」は亡き父の人生とあまりにもはかない最期に思いを巡らす。戦争で危うく命を落としかけた父が帰国後結婚。やっと待望の男児を得た幸せもつかの間輪禍によって亡くなる。その人生の矛盾と不条理をさまざまに考えぬく。個人的体験を普遍的な問題までに深めていく。

Ｂ―この系列に「満州の記憶」がある。文中に作者と同じ姓の「立野」公司という会社名が登場するから、父方立野家にまつわるファミリー・ストーリーである。テレビ番組で見る「ファミリーヒストリー」は、先祖・出自・出生地は異なれど、日本の近現代史を反映して、明治大正にかけて肉親・親族の誰かは朝鮮・満州に渡っている。なかには北米・南米もある。それが昭和になると、アジア全域に出征し、戦死している。番組のゲストは戦死から免れた男の子どもであり、子孫だね。

　祖父は満州で煉瓦製造によって一旗あげ、父はその地で生まれ育ったとある。その父の少年時代の忘れがたい思い出が語られている。

　ある晩、いきなり馬賊の襲撃に遭い、縁の下に隠れて息をひそめたという恐怖の体験だったね。父はやがて妻となった母に語り、母は父の思い出をその子に語る。母は聞くたびに肝のつぶれるような思いがしたと語るが、成人した息子はその馬賊のなかに「立野公司」の土地屋敷の元所有者がいたのではと思いはじめる。

A―朝鮮・満州における日帝支配に抗する民族主義者や反抗者を馬賊・匪賊とみなしてきたが、実際に土地財産を巻き上げ、言語習俗さえ奪った賊とは、いったい誰なのかと考えはじめたわけだ。

B―番組では引揚者の家系には「それはご苦労されましたね」「大変な目に遭いましたね」というが、奪いつくし、殺しつくした加害の歴史には一言たりともふれない。ゲストは先祖の労苦・苦心には涙を流すが、満州・中国・台湾・朝鮮・アジアの民衆への涙はない。

A―亡き父の少年時代の恐怖体験を反芻しながら、母と子はそれが侵略・略奪・差別の代償であったかもしれないことを静かに語り合う。

B―「レバノンの岩山」も教授と元学生が語り合う話で、往復書簡のかたちをとっている。2001年9月11日同時多発テロをめぐっての様々な解釈から、事件の根源的な問題提起をすでにしていたという映画「眼には眼を」にまでに及ぶ。

A―アンドレ・カイヤット監督の映画で、主演はクルト・ユルゲンス。病気の妻を助けなかったという理由で、アラブ人の執拗で無慈悲な復讐をうけるという内容だったね。アラブやアフリカ社会への根深い差別や偏見、傲慢な搾取と収奪に気づいていない白人社会への先駆的告発と見たらいいのかな。

B―今コロナ禍が世界を覆っている。これは戦争であり、経済危機だと各国首脳は喚いている。ちょうど同時多発テロのときのように、テロとの闘い、テロへの報復と叫んで、テロを増殖・倍加・連鎖させてきた構図と似てないだろうか。

この新型コロナウィルスは人間の自然破壊・環境破壊に遠因があるという。本来、その宿主に収まっているはずのウィルスを人間の欲望が突きだしたというのだ。もちろん、そんな単純なことではないかもしれないが、あまりに現象面ばかりで、根源的な問がなされていないように思うんだけど。

A―テレビで連日、専門家と称する学者がペラペラと喋ってるね。共通しているのは、コロナ禍で生活に苦しむ人への経済的救済・援助については言及しないことだ。素人でも言えるようなことをもったいぶって解説している。

B―この対話には哲学的思索と深い人間洞察がある。つまり、根源への旅があるんだ。同時に専門に引きこもって、人間苦・生存苦を一顧だにしない学者が「一流」と遇される社会への痛烈な批判にもなっている。

3

A―いよいよ表題作の「ダートムアに雪の降る」だが、正直読むのにしんどい難物・難題作だった。冒頭作「蜃気楼」は青年男女の困難な愛を描いたものであるが、これはそれから何十年を経た大人の愛の物語といえるかな。女性は違うだろうが、「わたし」は過去と現在でつながっているかもしれない。
B―主人公は一家をなした精神科医であり、旅行家であり、文学・芸術にも精通しているインテリである。男はイギリス南西部ダートムアを訪れ、その荒涼の地に郷愁を感じる。男の故郷は岩手県遥野市で、民話のふるさとと思しき有名な里を想像させる名所だが、なぜかダートムアを再訪して故郷に帰ったという感慨を抱く。
A―主人公は大学に入るまでこの地で育つが、一度も同窓会に参加したことがないと書かれているね。そこに何かトラウマが隠されているのかもしれないが、荒涼たるダートムアに既視感を覚えるという。これはひとりの精神科医が自身の心性の謎をとく物語ともいえる。ところで、「ダートムア」って知ってた？
B―たしか、ドイルの「バスカビル家の犬」で読んだように覚えていた。それでホームズ・シリーズのビデオを見たら、岩山のむこうに沼沢地が広がる荒涼とした風景が映っていた。なるほど凶悪な囚人を収容する監獄にふさわしい場所でもある。イギリスには風光明媚な観光地がいくらでもあるのに、なんでこんなところがと思っていたら、今や大人気スポットだというので驚いたな。
A―これは登場人物の個性的な性格を反映しているともいえるよ。お互いを「ドック」、「おつうさん」とも呼びあっているが、その学識・見識・思想ともに並外れたふたりの丁々発止のやりとりは、およそ日常会話ではお目にかかったことのない、破天荒なものだ。すると、ふたりにとっての舞台はロンドンでもソールズベリーでも、ウィンダミアでもなく、このダートムアしかありえないような気がしてくるから不思議だ。
B―行ったこともないくせによく言うよ。でも確かに「巨人の糞石」うんぬんの論議なんてのは尋常一般の美意識では解されないね。言われてみれば、やはりこのふたりにダートムアはよく似合ってるね。
A―お互いいい加減なことを言ってるな（笑い）。このふたりの関係だが、芥川が「越し人」と呼んだ、歌人でもありアイルランド文学の翻訳者でもあった片山広子こと村松みね子を、唯一知的格闘のできる女と評したことがあるけど、そういう相手なのだろうか。
B―主人公の精神科医とおつうさんは、医者と患者として出会ったのかもしれないね。ヘミングウェイの「氷山の一角」理論というか、隠れた部分への説明はない。劇中劇ならぬ作中作ともいえるドックの長編小説「断片」の創作メモが綴られている。そこに家庭をめぐっての、友人同士のいささか切実・深刻な会話がある。
A―主人公は自身の生活の凡庸さに飽き、そこに何も面白いもの・奇異なものがないこと、同時にそうとしか感じない自分に腹を立てている。チェーホフの「子犬を連れた貴婦人」に、主人公が通俗的で決まりきった生活、周囲のくだらない凡俗への呪詛を吐露する場面がある。そんなときにアンナとの出会いによって「長い灰色の眠り」から目覚めたように、おつうさんとの邂逅もまた、主人公の「人生を見る目」を一変させたのかもしれない。
B―主人公はダートムア再訪から帰国し、その風景の思い出に虚構の、あるいは幻影の雪を降らして、女性を療養所に訪ねようと思う。そして彼の地で見てきたハリエニシダのことをつぶさに語ることを思い決める。たとえ、あらぬ方を見やりながら、また一言の応答をしなくても。いったい、この療養所とは、またその不思議な様子とは。
ここは泉鏡花「売色鴨南蛮」のラストシーンを思い出したんだけどね。突飛かな。
A―うーん、なるほど。ここで、視点をかえて、主人公の生い立ちを見てみよう。岩手の故郷はただ生まれ育った生地にすぎぬといいながら、ダートムアの荒れ地に古里の耕地や農作を思い出す。そして、懐かしい人々もまた。ヘータロ、コウゾウ、トミエ、なかでも主人公に文学や物語の面白さに目をひらかせてくれたサンタロさんの思い出は、周囲の田舎者のエゴやいやらしさのなかで、断然輝いている。そして、あっけない最期も。
B―僕は作者にマサヒロ少年を主人公にして、懐かしい人たちとの思い出を立野版「青春の門」として書いてほしいと思う。題名は「遥野物語」で決まりだね。
A―シャーウッド・アンダーソンの「ワインズバーグ・オハイオ」みたいな、少年の目に映った人々の物語としても面白いね。この小説は混沌としたマグマでここからいろいろな作品が飛び出していくと思うな。
さて、おしまいに著者の近作をバシッとひとことでまとめてみて。
B―チェコの作家ミラン・クンデラに「権力に対する人間の闘いとは、忘却に対する記憶の闘いに他ならない」という言葉があるが、作者のいう「根源への旅」は忘却に抗する記憶をたどる旅でもある。それともうひとつ、冒頭でもふれたように大きな主語を使わないことだ。

最近、ある進歩派の雑誌を読んでいたら、「資本主義社会において労働者階級は歴史的に、危険を承知でなお身動きなどできず、死んでいくしかない存在である」とか「日本近代以来プロレタリアートは、あらゆる権利を奪い去られて死んでゆくほかかない存在である」と書いているのをみて思わず噴き出した。いったい何の権利があって、日本の労働者階級やらプロレタリアートの代弁者になってやたらに死んでいかせるのかね。その結論たるや、「ゆえに、生きたいと欲するプロレタリアートが目指す地点は、どこまでも体制の転覆以外ない」に至っては、丸橋忠也か油井正雪の一派かなと思ったぐらいだよ。

雑駁な歴史認識と俗流の単純論法。それで「俗情との結託を私は許さない」なんてエラソーなことを言っているが、自身の俗情・俗流にまったく目をむけない。それをまわりが階級的だなんておだてるから、本人もその気になって、こんな無知を平気で言えるんだね。ひとことが長くなっちゃったけど。

A―いやいや。それで今思い出したんだが、「レバノンの岩山」にこんな一節がある。

「無自覚な抽象主義やニヒリズムが、もしも主観的な真面目さと偏狭さとを伴って急進化し、実行へと裏返るならば、性急極端な行動主義にのめり込んで暴走する危険が生じます。かつての連合赤軍の仲間殺しのように。また近くはオウム真理教の地下鉄サリン事件のように」と。世界革命を呼号する二十歳すぎの若造が、仲間のちょっとした言動をとらえて貴様は反革命だと、集団リンチにかける。高学歴・高知能の青年がその専門知識をつかって、人々を救済するために「ポア」と称して猛毒を撒く。ドストエフスキーが描いた、悪鬼にとらわれた若者たちの悲劇だったと思う。

B―空語を振りかざして、一億玉砕やら体制転覆を呼びかける。そして、従わぬものは非国民であり、反革命だの俗情との結託などという。外部に敵を仮想して煽り、内部に異端をつくって弾圧する。左右を問わず、大きな主語をふりまわす連中の常套の手法だね。その裏には、必ず卑小なエゴが隠されているんだ。

スーザン・ソンタグが「隠喩としての病い」で、原因不明や治療法のない病ほど罪業・業病という「悪の隠喩」になると指摘しているが、まさにこのパンデミックの状況にもあたるよね。コロナ患者を「悪」として敵視し、病を生み出した社会の根本原因から目をそらす。

今コロナ禍で日常に沈潜する日々を送るとき、人はどうしても内省やら自省に迫られる。こういうときこそ、人間とは、社会とは何かを考えていく必要がある。ここにはそういう人間の根源的な問いかけがあると思う。
A―この未曾有のコロナ危機も、やがて死者数の記録としてだけ残されるかもしれない。そんな権力の歴史に抗して、人々はいかに苦しみ嘆いたかという人間苦の歴史を綴らなければならない。そんなときに、小さいけれど真実の記録と記憶を記して、この危機から生き延びようとする人間に深い示唆と理知を与えてくれる著書ともいえるね。

## 「演劇」という名の、ひかりについて。

昨年二月、イベント自粛要請が出され、劇場は次々に閉鎖された。日本において芸術は不要不急のレッテルを貼られたのだ。ウィルスは怖かったが私は自粛せず劇場を訪れた。舞台に立つ役者をはじめ演劇人たちの気持ちを想像して心が痛んだ。その作品は東京のあと大阪、愛知も回るはずだったのに、私が観劇した四日後に終わってしまった。そういう公演は多かった。

十月、七ヶ月ぶりに劇場へ足を運んだ。『てんとてんを、むすぶせん。からなる、立体。そのなかに、つまっている、いくつもの。ことなった、世界。および、ひかりについて。』を観るためだ。藤田貴大が主宰するマームとジプシーによるこの作品は、二〇一三年に発表されて以来ほぼ毎年上演されている。しかもイタリア、チリ、ボスニア、ドイツ、韓国、中国、といくつもの国を旅してきた。もちろん日本国内も。パスポートが役に立たなくなった今、東京で『てんとてん』を観ることで私は何を感じるだろう？

『てんとてん』には中学三年生が六人登場する。基本は二〇〇一年の設定で、登場人物たちがテレビで目にした九・一一について語るシーンもある。ある日、彼らの町で三歳の女の子が殺され遺棄される事件が起きた。〝あやちゃん〟は卒業を目前に家出し、森のなかでキャンプしている。裏手には川が流れ、遺棄現場となった用水路がある。キャンプを始めたばかりのあやちゃんは〝しんたろうくん〟にこう問いかける。「でも、なんで皆、そんなに器用に振る舞えるわけ？」「あんなことがさあ、あったのに」「なんでそんなに皆、普通に日常に戻れるわけ？」

あやちゃんは、家と学校を行き来するだけでこと足りてしまう行動範囲のせまさを嘆き、自分たちを均一化して管理しようとするオトナを憎み、世界で何が起ころうともちっぽけな学校、ちっぽけな町、ちっぽけな日本でこれからも生きていかなければならないことを憂いた。劇の終盤、彼女が自ら命を絶ってしまったことが示唆される。私はあやちゃんの強くて鋭い感受性をまるごと抱きしめたいと思った。忘れていた。地元を離れるとか、旅をするとか、全く想像できなかったあの頃のこと。ベクトルが内に向きがちな情勢の今だから、私はあやちゃんにこそ「ひかりはちゃんとあるよ」と声を届けたかった。

（杉田絵理）

〈特集・岡本かの子〉

# いよよ華やぐいのちなりけり

## ――岡本かの子作「老妓抄」を読む

立野正裕・編

### 作品について

老いを迎えているかつての芸妓、いまは老妓となった「小その」と呼ばれる主人公が、一人の青年・柚木の将来に可能性を見いだす。生活は全面的に面倒を見るから自分の思うことをやり遂げてごらんなさい、と言って、傍目には若い燕を囲ったと思われるのもかまわずに、発明好きなこの青年の面倒を見ようとする。

　青年は確かになにかを目指しているところがある。だが、自分がなぜ老妓によってこれほどの奉仕を受けているのか最初は分からない。それで、次第に自分の境遇に対して満たされないものを感じ始める。というよりも実際には、老妓の存在感と気迫にたじたじとなって、逃げ出してしまう。旅に出る。旅といってもほんとうに行方をくらましてしまうのではない。老妓が探そうと思えば探すことが出来るようなところへ身を潜めているだけである。案の定老妓が人を使って呼び戻す。そういうことを繰り返す。

### 一　作者の生涯

司会　本日は岡本かの子作「老妓抄」です。いつものとおり最初にAさんからお話しいただいて、その後討論にはいりたいと思います。それではAさん、よろしくお願いします。

A　こんばんわ。岡本かの子は画家の岡本太郎の母親で、夫は岡本一平といって漫画家・随筆家としても活躍した人です。

　短編小説を以前いくつか読んで感銘を受けましたが、

なかでも「老妓抄」という作品には深く感動するところがありました。ぜひこの物語を取り上げてみなさんの意見をうかがいたいと思ったわけです。

発表されたのは亡くなる数か月前です。昭和十三年の十一月、『中央公論』に発表されました。翌年の二月に逝去している。その年すなわち昭和十四年（一九三九年）に『老妓抄』というタイトルで短編集が刊行されました。作家の林房雄が生前岡本かの子を高く評価して、森鷗外、夏目漱石に匹敵するとまで絶讃しました。それが妥当な評価であるかはともかく、わたしもいくつかの短編を読んで非凡な才能の持ち主であったと思います。驚くべきは小説家として活躍したのは、四十五歳から亡くなる五十歳までの晩年の五年間くらいだったことです。そのあいだに沢山の秀作を残している。亡くなったあとも遺稿が発見されて、夫の一平がそれを編集して雑誌に発表しました。

岡本かの子は小さいころから文学好きでした。最初は短歌の詠み手として与謝野晶子に師事した。すぐ上の兄が文学好きで谷崎潤一郎たちと第二次『新思潮』を刊行したという影響もあって、谷崎の耽美的な文体、華麗な文体で散文を書いた。ですが、短歌を詠む人らしい感受性も、文章のあちこちに感じられるようです。

平塚らいてうとも親しく交流があって『青鞜』にも加わりました。小林秀雄や川端康成たちが『文學界』を発足させるにあたっては資金的な援助もおこなった。これらのことは年譜にも出ていますね。

五十年の生涯でしたが、旺盛な生命力を強烈に発散して駆け抜けた半世紀だった。年譜あるいは文学事典等の岡本かの子の略歴を読んでいるだけで、心を動かされぬわけにいかないものがある。岡本一平とは二十歳そこそこで結婚していますけれども、それ以前から熱烈な恋愛を繰り返し、結婚後も恋愛を繰り返した。恋愛相手の男性を自分の家に同居させる。夫は夫で放蕩を止めず、かの子は統合失調症一歩手前、あるいは憂鬱症へと追い込まれる。その苦しみを見て夫は悔悛した。そしてこんどは妻の力になろうと考える。その力になるなり方が一平は独特ですね。妻を慕って来る青年を自宅に同居させてその恋愛関係を黙認したのです。それも一人二人にとどまらなかったというのですから。

一人息子の太郎が二十歳になろうかというころ、家族でヨーロッパへ長期の旅行に出た。太郎はそのままパリに留まるのですが、一平とかの子は欧州からアメリカへ旅を続けて、三年くらい経ってから日本へ帰って来るのです。ここでも驚かされるのは、その旅行にもかの子の恋人が二人も同行していたということが年譜に出ているんですね。

当時はもちろんのこと、現在のわれわれの感覚から言っても尋常ではないでしょう。よく言えば非凡と言えるでしょうが、われわれの常識的な観念を逸脱するようなすさまじい生活を送ったように思われる。しかし文学者にこれは前例がないことではなく、たとえば斎藤茂吉や金子光晴にしても、夫婦間の危機、亀裂といったようなものを抱えたままで欧州へ行っています。ほとんど放浪するようにして夫婦二人の関係を見つめるというような生き方をしている。ですから実例をもってすれば、とくに珍しいということではない。それでも年譜で、妻が夫公認の恋人を二人も同行させたというのを読んでいると、そのすさまじさにほとんど感銘にも似た感動を受けてしまう。

日本に帰ってきてからのかの子は、最初一年くらいは仏教関係の雑誌に随筆などを発表していました。そのうち小説を書くようになる。小説創作に集中していって、昭和十二、三年から亡くなる昭和十四年の初めにいたるほんのわずかな年月のあいだに、日本近代文学史に残る秀作を次々に書きました。

かの子のすべての作品を読んでいるわけではないので断定的なことを言う資格はありません。ですから、岡本かの子という作家および作品に表われているものを一言で要約するのはむずかしいのですが、代表作の一編と目される「老妓抄」をとくに選んだ理由はわたしなりにあるのです。それをこれからみなさんと語り合いながら、お話ししたいと思っています。

## 二　いよよ華やぐいのちなりけり

A　時代から言っても、女性の自我の目覚め、解放という大きな歴史的な動きがいっぽうにあって、平塚らいてう、与謝野晶子の文学、思想を介しての交流からもそれがうかがえます。それと同時に岡本かの子自身の生来の本質的な生の輝きや激しさとも言うべきものが、文学という表現のなかで爆発していると言って差し支えないのではないか。時代的背景や潮流というものももちろん考えざるを得ませんが、同時に作家自身の持つ激しいものがあった。それを包み隠さずぶつけて、自身激しく生きた稀有な女性の一人だったという意味で際立っていると思うのですね。
まず結婚生活において夫となった岡本一平がまた天才肌の人だった。非凡な人との結婚生活そのものが、最初から、たとえば高村光太郎と智恵子の関係のように、自我と自我との激しいぶつかり合いをまぬがれなかったように思われます。そこへ近代という問題がどのように関わるのかということですね。そこをわれわれは考えなくてはならないでしょう。きょうはどこまで深く掘り下げられるかは分かりませんが、視野にそのことは入れておかなくてはならないと思います。

さて「老妓抄」ですが、いまお話ししたようにこの作品はかの子の晩年の何作かの秀作のうちに数えられる名品です。発表当時から評判の高かったものです。芥川賞の候補作品にもなりましたが受賞にはいたらなかった。だが、こんにち過去二十年くらい、われわれが日本における現代の小説による芥川賞受賞作を思い浮かべて見るとき、「老妓抄」に匹敵する激しさ、強さ、高さを持った作品がいったいどれだけ生み出されているだろうか。はなはだ疑問に感じざるを得ません。このような作品が、作者がこの世を去るほんの数か月前に書かれた。しかも作者は生前、脳溢血による発作を繰り返し、三度目の発作を起こしたとき亡くなっている。だがこの作品をみると、病気による弱りなどはまったく感じさせません。

**司会**　それではみなさんが読まれてどのような感想を持たれたか、どなたからでもどうぞご発言ください。

**B**　作品の読み方として、柚木という青年の側から読むのか、あるいは老妓の側から読むのか、あるいはこの両者を客観的にわれわれが視野に入れながら考えてゆくのか、いろいろあると思います。わたしもこれからみなさんの意見や感想をうかがっていきたいと思いますが、短編小説としてしっかり出来ているなということをまず感じましたね。

**司会**　もう少しどうぞ。

**B**　「小その」つまり老妓が長年の辛苦でひととおりの暮らし向きが立つようになってから、この物語の作者のもとへ、下町のある知人の紹介で和歌を学びにきたという設定になっているわけですね。作者が「わたし」として出てくる。そこでその設定を明らかにしておいて、物語の最後に和歌の詠草が語り手のところに届きますよね。何作かあったなかで内容を傷つけないように改削を加えたものを作者は紹介しています。もちろん岡本かの子の歌なんでしょうけれども、そのようなかたちの設定が面白い。

この歌だけでもしばしば何処かで引用されているのを読むことが多いですね。かの子の短歌としても代表作でしょう。同時にこの作家のプロフィールを端的に表わす歌なのではないかと思います。

**司会**　すでにみなさんお読みですが、いちおうその歌をご紹介しておきましょう。「年々にわが悲しみは深くして、いよよ華やぐいのちなりけり」です。

B　二十代、三十代の方はこの歌の持ち味というか、湛えられているなにかをどのようにお感じになられるか分かりませんけれども、中年を過ぎると、いよよ華やぐいのちなりけり、でありたいと思う。わたしなどは、わが悲しみは年々に深くして、というのももっともであるなあと切実さとともに感じられるところです。それなればこそ、いよよ華やぐいのちなりけり、と言いたい。それがわたしなんか、なかなか言えないでいるところなのです。

しかしかの子は五十になるかならずで死ぬ間際にこの歌を自分のフィクションの最後に掲げた。読み終わったとき感銘と同時にエネルギーのようなもの、パッションをもしみなさんもお感じになったら、わたしがこの作品から受け取ったものを共有することになるだろうと思います。

司会　作中ではパッションというのは色気というように日本語にうつしてありますね。パッションという言葉が当時はちょっとまだ日本語に馴染まないので、色気という言葉に変えてあるわけでしょう。

C　現代のような軽佻浮薄で合理主義的でスピードを要求されて、結果だけが問題にされるような社会で、一途に生きる、あるいは愚直に生きるということ、この老妓のような晩年の送り方をどのように考えるのか、というのが一つわれわれにとっての挑戦ではないかと思うのです。わたしが作中最も感銘を受けたのは、次の老妓の言葉ですね。

「急いだり、焦ったりすることはいらないから、仕事なり恋なり、無駄をせず、一揆で心残りないものを射止めて欲しい。」

と柚木青年に向かって言う場面です。仕事であれ、男女のあいだであれ、混じりけのない没頭した一途な姿を身近に見て素直に死にたい。この心境はフィクション上の老妓という人物の心境のみならず、作者自身の心境の吐露でもありましょう。また、パリに残してきた息子に対する母親としての真情でもあった。それが太郎に宛てた手紙などでもうかがうことが出来る。ですからこの言葉は岡本かの子の人生観そのものを要約するひとくだりであろうと思いながらわたしは読みました。

D　あの、いきなり本論にはいりかけたようなのですが、ちょっと細かいところに戻っていいですか。初めのところですが、人々は真昼の百貨店でよく老妓を見かける。目立たない洋髪に結び、一楽の着物を堅気ふうにつけ、小女一人連れて、憂鬱な顔をして店内を歩き廻る。恰幅のよい長身に両手をだらりと垂らし、投げ出して行くような足取りで、一つところをなんども廻り返す。そうかと思うと、凧の糸のようにすっとのして行って、思いがけないような遠い売場に佇《たたず》む。彼女は真昼の寂しさ以外、なにも意識していない。というここの五行くらいのところなんです。

たとえば一楽の着物というのをちょっと調べたんです。綾織にした精巧な絹織物と出ていました。ということはかなり贅沢な高価な着物ということですよね。それを堅気ふうにつけ、というところがなにかちょっと、要するに堅気ふうというのは、わたしの知っているかぎりで言うと、おもに襟元と裾かな、という感じがするんですけど、襟元をぐっと緩くあけたように着て、裾はぞろっと長めに着るような、それが堅気ではない人の着方ですね。それをそうではない堅気ふうな着方をして、小女というのはいまで言う女中さんなんでしょうけど、それを連れて憂鬱な顔をしてと書かれています。けれど、わたしたちが百貨店に行くときは、あんまり憂鬱な顔で買い物はしませんよね。それから両手をだらりと垂らし、投げ出して行くような足取りというのもあんまり見ない。そして一つところをなんども廻って、そうかと思えばすっとちがうところへ行って、という様子はアクションとしてとてもよく書けているんですけど、ものすごく超一流なお洒落《しゃれ》という感じを持ちましたね。この場合のお洒落というのはわるい意味で言っているのではありませんが。

司会　続いてどなたか。

E　岡本かの子は高校のときからもうすでに何人も若い男の人とのことがあったりすると聞いていたので、ちょっと苦手かなと思って読まなかったんですけど、きょうのこの作品を小説として読むと、出だしからすごいと思うんですよね。それから四行でその人の姿かたちを書いている、書くことが出来る。そのような表現者としての優れた素質をそなえていたんだなと思いました。

司会　Fさん、ご発言まだですよね。

F　小説としてとても面白かったと思います。ただこれをどういうふうに読み解くのかなというのが自分ではよく分かりませんでしたから、そこをみなさんがどうお読みになったのか、お話を聞いてみようと思って出てまいりました。

G　漢字とか言葉遣いがむずかしくて、何回読んでも情景とかイメージがつかめなくて、ページ数が少ないのですぐに読めると思っていたのですが、二、三ページ読むと忘れてしまって、結局おとといときのう、もういちど見てみたのですがやっぱりよく分からないというのが正直なところです。きょう昼休みにインターネットで見ていたら現代仮名遣いのがあったので、それを急いで読んで、ああ、こういう内容なんだということがやっと分かりましたが、感想を述べるというところまでは行っていないという感じなんです。

でも、自分がちょっと思ったことは、この老妓は電気のことに興味を持ってますよね。わたしもデジタル的なこと、ハイ・ビジョンとかブルーレイとか興味があって、いろいろ話を聞いたとき、よく分かっている人に会って話を聞くと、疑問が解けて嬉しいときがあって、その人のことを自分とは全然ちがう頭の構造を持っているんだなという感じがして、魅力を感じてしまうということがあって、老妓の場合も青年に対してやはりそんな気持ちがあったのかなと思ったりしました。つまり、部屋をあてがって生活の面倒を見てやりながら、好きな発明をさせるというのは、自分とはちがうものを持っている人間に魅力を覚えたからではないかと。

H　わたしは息子の岡本太郎の著作はいろいろ読んでいますが、母親のかの子は初めてでした。この作品の岡本かの子は好きになれないとまず思いましたね。この作品一つしか読んでいないので批評を言うのもどうかと思いますが、岡本かの子がなぜこういうものを書いたのかということが気にはなるんです。しかし一平との関係もいったいどのような関係なのか、よく分からない。理解できない。

作者と柚木という若者との関係にしても、作者と老妓との関係にしても、作者の目線はいったいどこからどこへ向かっているのか。どういう衝動からこういう作品を書いているのか、そこがいま一つ分かりませんでしたね。

司会　最後に出ている歌はいかがですか？　この歌も好きになれませんか？

H　先にこの歌があって小説を書いたということですよね。成り立ちはそうかもしれませんが、やはりそれはちょっとちがうなあと、違和感を持ちましたね。

D　わたしは、なにも急いだり焦ったりすることはいらないんだから、というところ、ここがいちばん自分のなかで印象に残ったところでした。やはり芸者という、どのような時代であれ、わたしたち普通の凡人から見ればたいへんな社会なんだなと思うんですけど、しかしそうした一般の通念とか観念を超えて、そのような環境のなかで生きてきた人でありながら、ずっと純粋な心、生き方をとおしてきたということを、この老妓のたたずまいから感じましたね。それがいちばん印象深かったところでしょうか。

老妓の立場から読むか、それとも青年の立場から読むか、あるいは両方を踏まえて読むかということをBさんが言われましたが、わたしは最初老妓の立場から読んで行ったんです。そしてだんだんこんどは青年の気持ちというか立場から読むようになると、ちょっと息苦しくなってきたと言いますか、老妓の最後の短歌にあるエネルギーというものもわたし自身経験したことがないし、たとえば、年々にわが悲しみは深くして、というのは還暦を過ぎてわたくしにもなんとなく分かることが多くなりましたけど、その後のいよよ華やぐいのちなりけり、というのは考えたこともない。なんだか別世界のような感じがして。

でも何回か読んでいくうちに、すごく素敵だなと思えてきました。たぶんそういう華やぐという気持ちがどこかにありながら、もう年なんだからと言って自分で抑圧してしまっているのかなという感じがしましたね。この時代に生きた岡本かの子よりも、現代のわたしたちのほうがはるかに常識的に生きているのではないかなと、疑いというか疑問にも似た気持ちを持ちました。

A　それを言葉を変えて言えば、岡本かの子ほどの抑圧のなかでわれわれは生きていないということかもしれませんね。岡本かの子は生まれた家が豪商の家で、家柄を非常に大切にするような家だったのです。かの子が文学の道を歩もうとしたことを両親はかならずしも喜ばなかった。それが、晩年になり、父親は自分が死ぬ前ごろには、歌人として名を成したかの子の短冊とかをほうぼうから集めてきて、それを読むのを楽しみにしていたそうです。その父親の後妻にはいった女性が、自分の娘なんだから直接に書いてもらいになったら喜びますよと言ったところ、それは出来ないのだ、おれは娘になにもしてやらなかったから、娘は一人でこうなったのだ、一人でこうなった娘に短歌を書いてくれなどと口が裂けても言えない、と生前お父様が言っていらっしゃいましたよ、と父親が亡くなったあとで後妻さんがかの子に伝えた、ということを小説のかたちでですけれどもかの子は書いていますね。

## 三　家制度の重圧

司会　岡本かの子のなかには、物質的、資産的に恵まれた家庭に生まれた反面、他方からするとものすごい家制度の重圧があって、彼女にはずばり「家霊」というタイトルの作品もありますね。あるいは文中にも家霊という言葉がたびたび出てくる。家というものが個人の才能の上にのしかかっていた。その重圧を生前ずっと感じ続けていたのだろうと思われます。

A　岡本かの子と前にこの講座で取り上げた野上弥生子ですね、家制度というものが日本近代の女性に対して本質的なところで足を引っぱり、上から押しひさぐような重圧であったということを考える上で、この二人の作を並べてみたわけなのですが、そのようなことを背景に置いてこの「老妓抄」を読んでいくと、やはり岡本かの子という作家が家霊、または家制度の重圧というものの意識がなかったならば、おそらくこのような小説、あるいはこのような短歌を詠む優れた歌人にまではなり得なかったかもしれないと思われるのです。

つまり、年々悲しみは深くなっていくというのは、誰しも自分の老いを感じ、人生になにがしかの経験を重ねていけば、楽しさよりは苦しさとか悲しさのほうが多いということは、経験上分かるわけですね。しかし、いよよ華やぐいのちなりけり、というのはなにか突き返す強さが内側になければこのような表現は出てこないだろうと思う。

司会　その突き返す強さが岡本かの子にはあったわけですね。では何処でその強さを彼女は学び取ったのでしょうか。

A　それは先ほども言いましたように、一つの時代のなかでともにたたかっている優れた女性たちを見ていたからでしょう。平塚らいてうや与謝野晶子、あるいは白蓮もその一人だったでしょう。時代と向き合いながら、詩を書き、歌を書き、エッセイを書いていた女性たち、また読者の組織だとか、集まりなどもあったでしょう。

しかし他方で、いくらそのような組織に付き合ったり、影響を受けたりしたとしても、自分の内部にそれを捉え返す主体性がなかったならば、強さというものは本物にはならないし自立もしない。そしてその自立への道は非常に苦しいものであったと思います。岡本一平との結婚でさえ、熱烈な情熱で夫は自分をもらい受けてくれたが、そして母親は一平に娘をよろしくと言ったが、父親は憮然としたままだった。それを見た一平はその後も最後までかの子の家には寄り付かなかったそうです。

父親が危篤状態のときに、しょんぼりしているかの子に対して、一平は、しょんぼりしているだけでいいのか、父親がやれなかったことをお前がやるんだろう、それをおれが見届けてやる、と言ったそうです。

岡本かの子はそういうなかから小説を書いていった。死後に発表された作品のなかでは、一平がモデルと思われる人物が、妻に向かって、お前が小説を書くのだったら、日本橋のまんまんなかで素っ裸で大の字になって寝るくらいの覚悟がなければ小説なんて書けねぇ、と誰かが言っていたぜ、と言うとそれを聞いて本人は身が引き締まるわけです。そうすると二十歳直前の息子が、つまり岡本太郎がそれを聞いていて、うわぁ、こりゃすげぇ、とはやし立てた、というところでその小説は終わっているんです。これもおそらく、岡本家のありさまとしてありながち虚構ばかりではないと思いますね。

つまり芸術家夫婦、息子もそうですが、芸術というそれぞれの自我を燃やし尽くすような激しさのなかで、この一家は成り立っていた。

火花を散らし合っていながら、しかしその火花のなかで理解もあった、また対立もあった。ですから尋常な人間の味わう地獄のような経験のその向こうに、なにかそれを突き抜けるものを見いだす視線、志、などがなかったら、岡本かの子は晩年に、たった五年のあいだにあのような作品を次々と書くことは出来なかったでしょう。しかも脳溢血ですでに二度も倒れながらですから。

岡本一平は一平で、自分の家のなかに女房に惚れている男を二人も抱えて、あまつさえ外国に行くときもその二人も連れて行くというような超常識的なことをやってのけている。なにか人間というものがこの世に生まれて死ぬあいだになにかをしようと思ったら、常識を超えなければ、あるいは常識的な自分に甘んじている次元を突き抜けなければ、新しいなにかを生み出すということは出来ない。その意味では一平もかの子も、息子の太郎も同じだったと思いますね。

そのような伝記的なことはいちいち考えなくてもいいかもしれませんが、「老妓抄」が小説としてどのようにして出来たのかを考えているうちに、年譜や略伝を読み、そしてさらに他の作品も読んでみると、そこにはやはり、つらぬかれた共通性があることが分かってくるんですね。ものすごい激しいものが共通性としてある。見事にまとまった珠玉のような短編のなかにも、その見事さの秩序を打ち破るようなパッションがある。そこがすごい、とわたしなんかは感動を受けるのです。

B　老妓の養女のみち子と柚木青年がじゃれ合っている場面があるでしょう。小説には露骨には書かれていないが、たぶんあのときに二人は関係が出来るわけです。それでそのあと、雨のなかを老妓が訪ねてきてこう言うでしょう。

「ちょっとあんたに言っとくことがあるので寄ったんだがね。」

ここからのくだりも感銘の深いところですね。ほんとうに性が合って心の底から惚れ合うというのなら大賛成だが、お互い切れっぱしだけの惚れ合い方で、ただなにかの拍子で出来合うということでもあるなら、そんなことは世間にはいくらもあるし、つまらないことじゃないか、なんどやっても同じことなのだ、と。

A　なんどやっても同じことだというのは、この老妓でなければ言えない言葉だと思いますね。芸妓としてお座敷に出て、空しい経験を数多く重ねてきた老妓が、その空しさを胸に畳んでおいてさりげない言葉としてそれを言っている。ですからその後に続く仕事、あるいは男女の仲、混じりけのない没頭した一途な姿を見て素直に死にたい、というのは自分にはいま肉体では出来ないけれどもあんたにそれを託しているのだからぜひ見せてちょうだい、それがあたしの生き甲斐なんだよ、ということですよね。ところがこの青年はなにか弱いところがあって、それに耐える力が出ないのです。でも老妓はなにかに賭けようとしている。なにかに賭ける力は依然として衰えずに彼女の内側にあるわけです。

このなにかに賭ける力、期待する力もまたパッションなんですね。自分が実現出来なくとも、後続の誰かに託す、あるいは誰かに可能性を見いだす、この可能性を見いだして賭けるということもパッションなんですね。そこに芸術というもののたんなる自我の表現だけにとどまらない広がりと言いますか、他人と他人とを結びつける絆になりうるのがパッションであって、自分自身のたんなる自己実現のためにパッションを燃やすということであれば、それは小さなパッションにすぎませんが、この老妓のそれだけの心意気をこの青年がいまだ受け止めかねている。作者にはその両方が見えているわけです。

作者は死を目前にして死の予感をもって書いているのかどうかは明確には分かりませんが、老妓としての自分と、青年としての自分と、両方あって、それがせめぎ合っている。他の作品にもこれは作者のなかの二面性のたたかいだなと思われるものがあります。

司会　かいつまんでその作品を紹介してもらえますか。

## 四　自分を恃《たの》む強さとエレガンス

A　その作品では、夫婦で食事をしている場面がある。そのとき「かの子さん」と半玉を呼ぶ声が聞こえて、夫にお前と同じ名前だから呼んでやれ、と言われてそのかの子という半玉を呼ぶ。ところが作者はそれにわざわざ括弧で註をつけて、ここでは語り手も（かの子）、作者も（かの子）、作品に登場する半玉の女の子も（かの子）で、読者はそれを胡散臭いと思うだろうが、しかしここには作者の切実さ、かの子にしなければつたわらないものがあるのでどうか我慢してくださいという意味のことを記して話の先を進めているのです。

その作品の半玉の「かの子」という女の子は、自分が呼ばれたお座敷の「かの子」という有名な歌人のことを前から知っていた。尊敬もしていた。そのあとで自分の恵まれない家庭の身の上話を半玉自身が始めるわけです。そして語り手である岡本かの子に対して、ぜひわたしのお母さんになってもらいたいと言うわけです。岡本かの子はいいわよと言って承諾するのですが、それから十日、二十日と半玉の「かの子」は姿を見せなくなってしまう。そのうち、もう忘れかけていたころ、語り手のかの子がヨーロッパに行く話が出て、そのことが新聞に出たとき手紙が届いた。じつはあれからお目にかかっていませんが、わたしはあのときのかの子というものです。あの名前は本名ではなくいまは別の名前になっています、そしてあのときとはちがった生き方を選んでしまいました、と書いてある。

それに対して語り手のかの子は、そうかい、あんたは別の道を行くんだね、分かった、じゃあ、あんたの若さはわたしがもらったよ、わたしはわたしで生きていくからね、と心のなかでその若い女の子を突き放す。そして彼女が持っていたあの若さ、その若さに感動した自分を大事にして、「かの子」という子の若さの記憶を自分がもらう、という小説です。タイトルは「雛妓」、ルビは「おしゃく」と振ってあります。

**司会** なるほど。あ、Iさん、どうぞ。

**I** 話を「老妓抄」に戻させてもらいますが、物語の構成からしてこの作品は、最初と最後に作者が出てきて真ん中に老妓の話があるんですね。にもかかわらず作者イコール老妓だというぴったりした感じが両者のあいだにはあると思うんですね。とくに最後の和歌がそうですよね。柚木青年とのやり取りから言うと、この老妓は青年のなかに一途なところを見たいと言っている。でもそれが裏切られそうだということにかなり不安を持っているように感じます。

文中で言いますと、「やっぱり若い者は元気があるね。そうなくちゃ」と呟きながら眼がしらにちょっと袖口を当てた、というところにもそんなことが出ていると思われて、やり取りが面白いなと思います。

それと最初の百貨店での描写を読んでいても、まさしくこれは岡本かの子さんだなあ、という感じがしますね。真昼の寂しさとか、ね。

亀井勝一郎が文学全集の解説に書いているのを読むと

ね、かの子さんの文学というのは白痴性、童女性、魔性、そのようなものを抽出している、というように解説している。そのようなものは何処から出て来るのか。というのは、豊富な生命力を本質的に持っている人だからでしょう。そこから表現にも表われる。人も魅了する。

けっしてわるい意味ではありませんがナルシストだと思う。言ってみれば岡本一家は全部そう。つまり自分を恃《たの》む非常に強い人たちだったと思う。またそれを作品のなかで成し遂げている。そう思って感心しましたね。

**司会**　なるほどと思いながらうかがいました。お話のなかに、老妓が眼がしらに袖口をあてたというところがありましたが、それはどのような意味でおっしゃったのですか？

**I**　その続きの文章にもあるように、柚木が帰って来なくなったらと想像すると取り返しのつかない気がする、とあるでしょう。逃げたままになっては困るという不安の表われではないか、と思うわけですけど。

**A**　ええ。ただ「やっぱり若い者は元気があるね。そうなくちゃ」と言っていますね。つまりこれは強がりなわけですよね。わたしはこの強がりの部分が好きなんです。内心では、もし戻ってこなければ取り返しがつかないような気がするという、もしそうなったら決定的になにかを失ってしまうという恐れが老妓のなかにあるわけですね。でも人に向かって言うときの言葉の落差というか、本音と建て前とで矛盾があるわけです。でもその矛盾が大事なのではないかと思う。岡本かの子以外でこのような表現を持っている女性作家はあまりいませんね。

**I**　野上弥生子なども非常にまともに書いているけれどもこのような感じではありませんしね。

**A**　わたしはこういう部分を読むと思うのですが、ヨーロッパとくにフランスの女性作家たち、マルグリット・デュラスとかフランソワーズ・サガンなどにもそのようなところがありますね。たとえば、サガンの短編小説で、年下の男と付き合っていて自分は老いていきつつある。このまま付き合っていてもいずれ男は逃げていくと分かっている。でも強がっている。その強がり方にエレガンスがあるんですね。老妓の粋、見識といったようなものがちょっとそこと重なりますね。

**B**　同じところに、彼女は柚木が逃げるたびに、柚木に尊敬の念を持って来た、と書かれていますが、わたしはそれもちょっと引っかかったんです。

**司会**　なんで尊敬すると思いますか？

**B**　それはやっぱり自立しているということでしょう。

**司会**　そうですか。でもかれは逃げているんですよ。

しょっちゅう逃げている。でも尊敬の念を感じざるを得ない、とすれば、それはどうしてでしょうか。ほんとうは袖口を眼がしらに当てて、内心の怯え、恐れを隠しているわけですよね。そのなかでその尊敬の念というのは何処から来るのか。

B　わたしが感じるのは、老妓自身が自分に対して批判的ということじゃないんですか。自分から逃げるということに対して、悲しいけど尊敬しちゃうということじゃないんですか。

A　柚木は、逃げても逃げ切れないところに身を潜めているわけですよ。探しに来るだろうということを予想して一時的に脱走している。けっして脱走しきってはいない。なんでそのようなことを繰り返すのかと言うと、つまりじたばたしているんです。

たとえば老妓が釣り人で、釣った魚を魚籠《びく》に入れたとき、その魚が観念して魚籠におとなしく収まれば尊敬なんてしないでしょう。でもその魚が隙あらば逃げてやるというようにばたばたしたら、釣り人としてはその魚を往生際がわるいと思わずに、かえって尊敬するでしょう。ヘミングウェイの『老人と海』の老人が、針にかかったマカジキを尊敬するのもある意味で同じことです。柚木は逃げているのだが逃げ切らない。くたばることもない。ただどうしていいのか分からないでいるわけです。老妓のほうがはるかに強烈なものを持っていて、釣り糸はしっかりと老妓が握っているわけですからね。しかし同時に、老妓にはこれが切れたら取り返しがつかないという思いもある。この関係をそのように考えないと、尊敬などという言葉を使っても意味がないし、理解も出来ないと思いますがどうでしょう。

わたしが柚木だったらと考えると、こういう老妓のような人と面と向かっているのはそうとう苦しいだろうと思いますよ。相手は人生の終わりに近づいている年齢だ。それなのに、なにか強烈な存在感をこちらに感じさせずにはいない。それに引きかえ野心はあるけれども、もう一つ内側に向かって集中することが出来かねている青年。燃え尽きるだけの覚悟を持つことが出来ないでいる青年。

B　それがどうして尊敬するということになるのですか？

A　生き生きしているからです。逃げてはいても生命力がないからではなく、元気があるから逃げている。そのことに対して尊敬するということです。台詞の上での「元気があるねぇ」の元気ではない。

B　老妓に場所や方角が分かるところにかれは逃げていますよね。探そうと思えば分かるところに逃げる。それは老妓が探しに来るということをなかば期待していると いうことでもあるわけですよね。

A　そう思いますね。脱走の形式を取っている自分の現状がおかしい、と柚木の側の気持ちが書いてあります。探してもらいたいという下心がある。すなわちそこは二人の演技なのです。

J　いや、ぼくの解釈はちょっとちがいますね。柚木が老妓の庇護のもとにありながらそこから逃げるということは、じたばたしてはいるんですが自立しようとしているのだと思います。かれは最初に発明家を志す創造的な青年だったわけで、老妓はそこに惹かれた部分もあるのではないか。要するに創造活動というのは、自立する者に最たる心理だと思う。その面で老妓はそのようなものに対して感動し、魅力を覚えて柚木を援助することにしたのではなかったのか。

その柚木自身がいつの間にか現実逃避して、日々鬱々とするようになってゆく。しかし自分自身もそれではいけないというように思う気持ちもある。それが逃げるという行為に走らせたのではないかとぼくは思うんです。老妓の庇護のもとに甘んじるだけではなく、はっきりとはしなくても、じたばたはしていても、自立心はあるというところを老妓は見抜いていて、そこに尊敬の念を持ったのではないかと思うんです。

司会　それはAさんの言われたこととどういうふうにちがうんですか？

J　ちがわないですかね。

司会　Aさんはいかがですか。

A　自立への初歩はじたばたすることでしょう？　ですから結局Jさんも同じことを言われていると思います。じたばたもしないで俎板の上の鯉のように観念していたら、老妓は魅力を感じない。要するに、飼い殺しのままでいるやつか、あるいはいちはやく逃げ切りになるやつか。そのどちらかだったら老妓は魅力も未練も感じなかったと思います。だが、柚木はそうではないわけです。行っては戻り、行っては戻りしている。それでもいつか戻ってこなくなる日が来るかもしれない。それは別の意味で、老妓には不安であるわけです。実際にはこののち柚木がどうなるかは書かれてはいませんけれどもね。老妓の気持ちを表わしたものが作者のもとへ歌の草稿として送られてくる。それが最後の歌でしょう。

## 五　パッションと恋愛感情

D　さっきも言ったように、わたくしは最初、老妓の立場から読んで行ったんですが、柚木が逃げ出すようになってからは、かれの立場でその心境を考えるようになったんです。でも柚木という人は魅力的な青年に感じられなくて、これほどに人生を重ねてきている老妓が、しかも老いてなお輝いている老妓が、なぜこの柚木という青年にこれほどまで？　という疑問を感じるんですよね。

Ｅ　それは、柚木と老妓が手頃な言葉仇《がたき》となった、というところがあって、その後に柚木君の仕事はチャチだね、とあって、柚木が、そりゃそうさ、こんなつまらない仕事は、パッションが起こらないからね、と返すと、パッションてなんだい、って老妓が訊き返すところがありますね。そのあたりがわたしはすごく心に残ったところの一つで、まずはっきりと、そりゃそうさ、こんなつまらない仕事、って柚木が言っている。

些細なことかもしれないけれど、つまらないことをつまらないって言うことって、なにかすごいことだなあと思って。しかもそのほんとうの理由をさらっと言うじゃないですか。この仕事に対する色気が起こらないとかって。柚木の言うパッションという言葉に対して、老妓が自分自身の生涯を回想するような場面があって、で、わたしなりの解釈は、そういうちょっとした会話のなかで、率直さなり素直さなりということを、老妓はいいと思ったというか、つまらないときにつまらないと言える人っていいなとか、その後の、さして面白いとか情熱を感じるとかじゃないけど、こなせちゃったりとか、たまたま自分が器用で生きて来たというか、しのげちゃったりとか、そういうことってあるのかもしれないけど、ただしばらくして考えたときに、つまらないなって自分自身に思うことってあるのじゃないかな、と。言っていることがちょっと感想として中途半端なんですけど、そんなふうに感じながら読んでいました。

Ｋ　その老妓と青年の会話の表現などにも感じられる対比ですね。それをわたしに引きつけて言いたいんですが、たとえば文中のフランスの女優を例に出しての二人の会話にも対比が表われていてとても面白く思いました。この老妓は年齢はいくつくらいの人なんだろうと思いながら読んでいたのですが、この二人の対比、この青年がこの老妓から、もうなくなっていてもおかしくないようなパワーを、それこそ圧倒的なパワーを受ける。それは彼女の経験からくるものでしょうけれど、そのようなパワーをぐいぐいという感じではなくて、真綿で包むように周りから温かく見つめながら、なおかつ、どんな生き方をしているのかという問いかけを常に突きつけてくるんですね。そのことを青年は強く感じていると思うんです。

　ですから息苦しくなってきて、そこから逃げ出したくなる。でも負けたくないという気持ちもあって、なんとかバタバタと自分の生き方を見つけようとしている。だがなかなか見つけられない、というようなことを繰り返しているように思いますね。

　青年は老妓の魅力を強く感じていて、それに引きずられてゆくという感じがとてもよく出ていると思います。老妓は、生きてゆく上でいろいろな男とも関係を持って来たけれど、それは全部部品で付き合ってきたようなもので、自分が求めているものは一つで、いつもそれを探しているのだ、というようなことを言っていますよね。これはある意味ではとても深い言葉で、人生というのはそう単純なものではないということを、いろんなかたちで青年に伝えているのだと思うんです。青年はそれを受け止めるのにせいいっぱいになってしまって、それを自分にどう反映すればいいのか会得できないままもがいているんですね。その様子がよく出ていると思います。

　それからさっきも出てたことですが、歌が最初はいちばん前に来たということなんですけど、どういうことですか？

司会　それは最初に作者による歌が出来ていて、その歌を念頭に置いて作者はこの物語を書いたということのようです。

Ｋ　ああ、そうなんですか。そうするとこの歌からイメージして、このようなものを書いたということなんですか？　かの子の日記などを読むと、先ほどAさんも言われたように、自分の家のこと、それから当時一平が売れていたときで、華やかな生活を送っていたことなどが分かります。彼女自身は書きたいものがあって、太郎が小さかったのでかれを柱に結び付けておいて書いたり、あとは現金書留がどんどん来るのですが、それをいっさい開けないで、どこになにがあるか分からない状態で、出入りする学生や、そのほかの人が勝手に使っても全然分からないというありさまで生活していて、自分は書くことに集中していた。気が狂いそうになりながら一平にいろいろと相談しても、最初はぜんぜん受け止めてもらえなかったのですが、彼女のあまりの苦しみを見ているうちに、一平も、お前の好きな青年と付き合ってもかまわないと言い出す。そういうことを読んだことがあるんですけど、考えると、この短い小説のなかにはじつにリアルに女の世界がとらえられていて、それが素晴らしいなと改めて感心しますね。

L　蒔田の家で仕事をしている青年を見ていて、老妓はかれに、なにかちょっと男性的な魅力というのを感じたのではないかと思いながら読みました。そしてなにをやりたいのかという話になって、かれが小さいときから苦労してきたという生い立ちを聞いて、自分の生い立ちともからんでこの青年を無下に突っ放しきれなくなったのではないだろうかと感じたのですが。

M　わたしはその点で言えば、確実な魅力を柚木青年から受け取ったというよりも、いま話に出たような一つ一つの条件があって、賭けみたいな、彼女が踏み出す切っ掛けが欲しくて、で、かれの言動を見ていて、まぁ、いいかなみたいな、そういう、自分の粋さを楽しもうとしているような、そういう感じがしましたね。

J　ぼくは、柚木という青年はこの老妓にとってやはり非常に魅力的な青年だったと思いますよ。岡本かの子自身に直接訊いてみたいんですが（笑）、華やぐいのちなりけり、というのは、まちがった解釈かもしれませんがぼくなりの解釈では、華やぐというのは、ある種の恋愛の感情ではないかと思う。それまでは普通に金のある人間が困っている人間をたすけるみたいな気持ちかなと思って読んできたのですが、最後に華やぐという言葉が出てきて、その意味を考えると、どうもたんなる才能が感じられる男に援助を与えるというのではなくて、いわゆる恋情のようなものではないかと思うんです。文中に色町の世界から堅気の世界へ魅力を感じるようになってきたのではないかと思われる部分がある。もういちど最初から読み直してみると、まさしく十年くらい前から常識的な堅気の生活に魅力を感じていたというふうなことが書かれています。

そうしますとそのなかで自分が尊敬する生き方として創造活動をする、この創造活動をするというのはかの子自身の意思であり、また重要視して来たと思うんですね。つまり一つには小説を書くという創造的なことですね。そこのところに快活で子供っぽい青年は非常に魅力的に映ったろうと思います。でも老妓は普通の性愛にもとづく恋愛というかたちは取れないので、ちがったかたちで恋愛感情を表現しようとしたということだと思うんです。最後にまた逃げたと言ったときに、もし帰って来なかったらと想像すると、取り返しのつかない気がする、と書かれていますね。これはたんなる心配ではない。恋愛の感情を裏付けているだろうと思います。

Aさんが岡本かの子の年譜をごらんになって、彼女が超非凡みたいな考えを持っているということを言われましたが、それを聞いたときぼくは、老妓が青年に恋愛的感情を持って付き合うということはありうるのではないかと思ったわけです。

司会　そろそろちょっと休みましょうか。

B　いまいいところですよ。（笑）

司会　じゃあ、いいです。どうぞ続けてください。（笑）

## 六　家と血縁を超えて

L　お話をうかがって、わたしは恋愛感情というようには思わないんですけど、最初に柚木に会ってパッションの意味を聞いて、自分の生涯に憐れみの心が起こった、というところが発端になるわけです。その後老妓と母と子のようにいいなり寿司を食べたりとか、柚木に対していろんな行動を見せ始めますね。確かにそれは普通以上の感情を柚木に感じているということだと思います。それと最後のほうで柚木があちこち行って、老妓もいろいろな感情に巻き込まれたりするのですが、そのなかに精神を活発にしていたという表現があって、これはやっぱりパッションということにつながるのかなとは思いました。

K　老妓がすごいな、と思うのは自分の年齢は年齢として受け入れていても、だからといって自分をあきらめるのではなく、内心に強烈なパワーがある。

B　蒔田の家で働いている柚木を見たとき、老妓は一瞬ピンと来て、ある魅力を感じたんだと思うんです。でもそれはかならずしも男女の関係というのではなく、ものを創り出そうとする人間の放つ魅力というものを感じたのだと思います。だから自分の家に住まわせて、援助をしてやりたいと思うようになった。

C　蒔田のところではたらいているときに、はたらいている柚木を見て心を動かされたのは、創造に立ち向かう気概を見て取ったからだということですね。なるほどです。

司会　少し休憩を入れたいと思いましたが、だいぶみなさん討論が進んでいるようです。このまま先へ行きましょう。

A　では、時間がなくならないうちに話しておきたいことがあるので発言します。岡本太郎には沢山著書がありますが、『沖縄文化論』の冒頭の部分などは、やはり母親とのある共通性を感じさせますね。あの冒頭で柳田國男の『山の人生』の一節が引用してあります。それは美濃の山中の極貧のある家庭に起きた惨劇で、父親が幼い二人の子供を鉞《まさかり》で殺すという話ですが、そのことを柳田國男は淡々とした文体で記録していて、それを岡本太郎が読んで、事件そのものもそうですがそれを記録する柳田國男の文体の持つ力に度肝を抜かれた。事件そのものも日本の貧しさの現実から起こったものですが、それを記録する民俗学者としてのまなざしのありようにも岡本太郎は非常に感動した。このような目で日本の文化の底部を見なければ駄目なのだと思い、カメラを携えて東北に出掛け、ひるがえって沖縄にも出掛けた。そして沖縄の文化もまさに柳田が『山の人生』で書いたような現実として捉えるべきであって、自分も民俗学者としての目を鍛えなければならない、というように書いています。

その岡本太郎の沖縄や東北に追いやられた辺境の人々の生活と文化を見るまなざしと、この「老妓抄」でかの子が書いている花柳界の人々を見る目、またそのなかの一人の人物である老妓を主人公としているわけですが、それらの人々を見る作者の目とのあいだには、中心から外れて生きざるを得なかった人々に対する共感がベースにある。そこからこの小説のフィクションとしての構造が成り立って来ているように思うのです。

かの子の他の作品にもそのようなことが言えると思うんです。たとえば「河明り」では河川の周辺に張り付くようにして暮らしている人々、「家霊」という作品でも、極貧に甘んじながらただただいいものを作りたいという彫金師を描いている。そのまなざしにはなにか共通するものがあって、それが息子の太郎にも広い意味で受け継がれているような気がしますね。かの子、太郎が親子であるということを知れば、そこには家制度から生み出されたという意味での血縁ではなく、芸術家としての理解、共感から相互に発生した精神上の対等な人間同士の相互理解があったように思います。

**司会**　Hさんは太郎の著作はかなりお読みですよね。いかがお考えですか。

**H**　はあ。そこまではちょっとついて行けませんけれども……。

**N**　他の作品も読んでいないので、いつものとおり取り上げられた作品を読んだ上での感想しか言えないのですが、柚木と老妓の関係のあり方がやはり面白いなと思いましたね。きょうの話にも柚木という青年に魅力があるのかないのかという話が出ましたが、かれは若者としては少々生意気なところがあって、たとえば最初の件で仕事がチャチだね、と言われたときの返事などは、生真面目な性格の青年なら、これからはがんばります、みたいな返事をするんじゃないかと思うんですが、そりゃそうさ、こんなつまらない仕事は、パッションが起こらないからねぇ、というような返事をする。そういった部分でそれはユーモアであるという解釈が出来るのかどうか分かりませんが、面白いなとは思いました。

柚木は最初老妓のことを遊女ということで、軽蔑とまではいかないまでも軽い見方をしていたように思います。それから自分が世話をしてもらうようになってから、老妓の真剣な世話の仕方にちょっと恐くなってくる。そこで逃げてみたり、それでも逃げ切るだけの気持ちもないまま、また戻ったりということを繰り返すことになるのですが、この作品を読んでいて最後に思ったことは、さっきも問題になりましたが老妓が、「やっぱり若い者は元気があるね。そうなくちゃ」という部分で、元気という意味が、迷いがあっていいね、というような感じにわたしには取れたんです。

迷ってもまた戻って来てくれる。柚木がこののち創作活動に成功したかどうかは分かりませんが、その過程もひっくるめて、老妓はかれがいてくれることのありがたさを感じているように思えて、それが面白いというか、物語的に一つのことを貫く信念があるというのが面白かったりするんですけど、柚木自身の迷いというのがよく出ていて、それを老妓にちょっとたしなめられると、全部は否定しないで素直なところも見せたりして、そのようなもの全部が合わさって、柚木の魅力というのがあるんじゃないかと思いました。老妓にしても、長年かかって蓄えてきた知識を柚木に移す、あるいは託す、といった部分もあるのではないかと思いましたね。

H　わたしは柚木に魅力を感じませんが、女性にとって飼育しやすいタイプじゃないですかね。

対等という関係が見かけにあるわけじゃない。対等な関係とはどういうことなのか、という基準があるわけじゃない、と思うんですけど、あたかもそれがあるように持って行こうとしているようで、作りに無理な部分があると思いました。

L　ゆっくりと柚木のやり方を見定めるというのは、老妓なりに何十年か生きて来た経験を語りながら、他人の若い男性をつかまえて彼女なりに語りかけて、それは経験から搾り出した言葉だと思うし、なにかそれが押し付けではないという感じというか、目の前のことを一途に一生懸命やりたいという衝動はわたしにもある。けれど一生懸命やれば報われるということはないわけじゃないのですが、そのためには自分の選択肢がほんとうにいいものかどうか、知的なものかどうか、そういうのをゆっくり見定める目も必要で、老妓の言っていることはわたしなりに分かる気がするなという感じがしたんです。耳に残った言葉で、憧憬とか、不憫な者の強みとかがあるんですけど、ほんとうに自分にとってやりたいこととか、それはいったいなんなんだろうと探求していく、そのためには目の前のことが大事なんだけど、視野というものを自分自身で見定めながら、それで模索していくようなそういう混じりけのない没頭した姿というのを、「老妓抄」という小説は描いているのじゃないかなという気がしました。

**司会**　はい、時間も押してきましたから、Aさんにまとめを兼ねてお願いしましょう。

## 七　心残りないものを心がける

**A**　きょうはご意見、感想などいろいろと聞いていて、わたしもいっそう考える切っ掛けをいただきました。わたし個人はこの小説を数回読みましたが、一回目はむかし一読者として読んで非常に面白かったのですが、二回、三回と読み、きょうここへ来る前にもう一回読んで、わたしなりに思い浮かんだのは、これは広い意味で教育ということをモチーフとして持っている小説だということですね。

自分のプライベートなところに引き付けてこの小説を読むと、柚木という青年はかつての自分だというふうに思えて仕方がありません。この老妓に当たるような女の人も、年齢はずっと若いが実際にわたしの目の前に存在していたことがあって、年上のその女の人から非常に強い影響、深い影響を受けた。それなのに、付き合っているときは強烈さは感じられても、その影響の深さとか、愛情の深さとか、自分にとっての広がりがよく理解出来ませんでした。その人と別れて何十年もたったいま、その人が全身で自分になにを教えてくれようとしていたのかが分かって来たという気がしているわけです。

ですから作品自体を読むのはわたし個人のいわば邪道のような読み方で、自分の側にあまりにも引き付けて、あるいは自分自身のプライベートなものと重ね合わせて読んでいるので、客観的な研究あるいは評論とかにはならないわけですが、それはわたしにはどうでもよくて、あのとき自分が教えてもらったことも、この老妓が柚木に言っていることと同じだったのだなといまごろになって思い当たる。ものを考える上での重要なにかがあのとき自分にはしかと与えられていた。それが遅ればせではあってもいちばん自分には重要なことなのです。

その重要なことというのは二つあります。一つはこの青年・柚木には確かになにか野心があった。そしてその野心そのものに燃えている青年を見て、老妓は自分が世話をしてやろう、面倒を見て存分にやらしてみようと思うわけです。これは飼育とか、飼うということとは別の次元のことであるとわたしは思います。

そして青年はそれを最初ありがたさも感じずにとにかくやっていた。それが次第に、老妓の熱心さにたじたじとなって来て音を上げてしまうわけです。おれは最初あんた方には色気と言ったけれどそんなものは初めからなかったのかもしれない、とさえ言いますね。けれどもそれを聞いた老妓はがっかりした顔もせずにこう言うでしょう。

「そんなときは、何でもいいから苦労の種を見付けるんだね。苦労もほどほどの分量にや持ち合わせているもんだよ。」

いまにして思い当たるのですが、これが人生の知恵というものですね。老妓は自分の経験からそのような提案をするわけです。要するに自分のなかにパッションが見当たらなくなってきたら、切っ掛けになるものを外部に見つけなさい、人生は厳しいのだから、見わたせば生活のこと、経済的なことなどさまざまなことが障害としてあるのだから、その障害に一つでもいいから全力で立ち向かってみなさい、ということをこの老妓は言っている。これが一つです。

もう一つは、さきほどわたしが引用したことと連関するその後のところですが、仕事なり恋なり、生半可な態度でなしに、無駄をしないで一揆に心残りないものを射止めて欲しい、と老妓が言います。すると青年は、そんな純粋なことは、いまどき出来もしなけりゃありもしないと言って笑う。老妓も笑う。大事なのはその次の言葉だろうと思うのですね。

「いつの時代だって、心懸けなきゃ滅多にないさ。」

わたしはここが、いまになってみますと非常によく分かる気がするんです。一揆で心残りないものというものは、本気で心がけなければつかむことは出来ない。そのとおりだとつくづく思う。その辺に転がっているものではない。歩いていればそのうち出会うというものでもない。上から降ってくるものでもない。その気になって心がけなければ駄目というものはない。棚からぼた餅などなんだということです。そしてそれはただもうひたむきであること、それも愚直に徹するということであって、さきほど引用した部分とこの部分とは、わたしのなかでは対応し合うものとして受け止められる。

このようなことをこういう短い小説のなかで、きっちりと言える作家というのは、やはり非凡なものを持つ作家であると言わざるを得ない。その意味からも「老妓抄」は再読、三読に堪える作品であると思いますね。

**司会**　はい、ありがとうございました。きょうの初めのほうで言われたことですが、林房雄がこの小説が出たとき、森鷗外、夏目漱石級だと絶讃したのも、筆の走りということもあったかもしれませんが、でもけっして大袈裟すぎる評価ではなかった。わたしもこうして何十年かたって読み返してみて、漱石のよい作品にも、鷗外のよい作品にも匹敵すると思いました。男と女の関係についてということではなくとも、なにかここから教えられたものがあったと思います。

自分が人になにか重要なことを与えることはなかなか出来ないことでしょうが、それでも火花を散らすような関係というものを人生のなかで作っていきたいと思いますね。では、みなさん、きょうもご参加どうもありがとうございました。（拍手）

付記

二〇〇八年六月二十四日に本郷文化フォーラムワーカーズスクールでおこなわれた文学講座での座談記録にもとづく。参加されたみなさんに感謝します。なお、使用されたテクストは岩波文庫版岡本かの子著『河明り・老妓抄　他一篇』であるが、引用に際しては現代表記に改めた。

〈トルソー〉
## 旅の目的

梅川俊平

確かに旅の目的はある
おまえは知っている
その目的は無意味だ
おまえ以外の誰にとっても
無意味なものを捜しにゆく
誰からも期待されない
誰からも押しつけられない
おまえの本音として企図する旅
それをやり遂げよ
おまえは達成したと言うことが出来る
おまえ自身に向かって
利己的と人が言うなら言わせておけ
だが阻止せよ
潜入させるな
おまえではないなにものかが
いつも食い込もうとする
おまえの旅に
大義や名分の仮面をかぶって

〈特集・岡本かの子〉

# 青春への目覚め

## ――『渾沌未分』を中心に

山本恵美子

一

岡本かの子の遺稿の一つ『雛妓』では、若さと家霊を表現することが岡本かの子文学の主題であることがはっきりと書かれています。このことと関連して『雛妓』の中で忘れられないのが、次の一節です。

「意気地なしの小娘。よし、おまえの若さは貰った。わたしはこれを使って、ついにおまえをわたしの娘にし得なかった人生の何物かに向って闘い挑むだろう。おまえは分限に応じて平凡に生きよ」

この小説には作者と同じ名前の二人の「かの子」が登場するのですが、現実の作者を投影させたと思われる歌人かの子が、心を通わせた雛妓の少女かの子から別れの手紙を受け取ったときに、心の中で少女にこう呼びかけるのです。これは岡本かの子の小説家としての覚悟を表明したものであると言ってよいでしょう。にじみ出る矜持の強さに、したたか胸を打たれます。なかでも「若さを貰う」という表現に、わたしは岡本かの子という文学者の並々ならぬ凄まじさを感じるのです。精神の若さを保つためには、己の外から若さを奪うくらいの覚悟を持った、肝の据わった貪欲な自尊心のあることが、条件となるのでしょうか。そうだとしたら、精神の若さを持っているということは、なんと激しいことか。そう思わずにいられません。

岡本かの子作品において、「若さを奪う女性」と考えてまず思い浮かぶのは『老妓抄』ではないでしょうか。

けれども今わたしがここで考えたいと思っている作品は『渾沌未分』です。『渾沌未分』は岡本かの子の小説家としての短い活動のなかでも初期の作品にあたり、文壇デビューとなった『鶴は病みき』に続いて発表されました。この作品で、先ほど引用した『雛妓』の一節を思い起こさせるような、人の若さを吸う女性が描かれているのです（もっとも若さを吸われるのはこの場合、男性なのですが）。

小初という名の女水泳教師は十分に若いのですが（おそらく二十歳前後でしょう）、まだ少年と呼べる年下の恋人薫の若さを吸うという描写があります。それは、水中で薫少年を見つけた小初が唇を重ねるという場面で、その描写がロマンチックな恋人同士の口づけというのではなく、両者の力関係がはっきりしているのです。美しいというよりも凄まじいという印象を受けます。

小初はやにわに薫の頸と肩を捉えて、うす紫の唇に小粒な白い歯をもって行く。薫は黙って吸わせたままに、足を上げ下げして、おとなしく泳いでいたが、小初ほど水中の息が続かないので、じきに苦悶の色を見せはじめた。それからむやみに水を掻き裂きはじめた。とうとう絶体絶命の暴れ方をしだした。小初は物馴れた水に溺れかけた人間の扱い方で、相手に纏いつかれぬよう捌きながら、なお少しこの若い生ものの魅力の精をば吸い取った。

ここで描かれているのは恋する女のかわいらしい姿ではなくて、生命力をむき出しにした女の姿です。魔性といってもいいでしょうか。自分が若く生きるためには、周りの人間のエネルギーを奪うことも厭わない傲慢さをもつ。ここに小初の魅力があります。『老妓抄』につながる女性像が『渾沌未分』に描かれているともいえるでしょう。小初という女性は明らかに、男性の半歩後ろを歩くことに満足する、あるいは甘んじるタイプではないことがわかります。しかしその一方で、小初は伝統的な家制度が体にしみこんでいます。

小初は日本の伝統的な泳法である青海流水泳の道場を開いている家に生まれ、水泳教師として父と二人で水泳場を切り盛りしています。父祖の代から墨田川岸に水泳場がありましたが、近代化していく首都東京の振興勢力に追いやられ、今は東京市の一部となった城東区砂町で水泳場を営んでいます。小初は幼いころから、小初を水泳の天才少女に仕立てようとする父に厳しく躾けられました。父が自分を超人的な水泳の天才だと信じ誇っていることを、小初は知っています。小初は家業を守り、継いでいくことが父に期待されているのです。

## 二

　ところで、タイトルになっている『渾沌未分』の「渾沌」は『荘子』から取られています。曰く、あるとき、南海の帝王と北海の帝王を中央の帝王、渾沌がよくもてなした。そのお礼に、「人には七つの穴（目、耳、鼻、口）があるが、渾沌にはない。この穴をあけてあげよう」と南海と北海の帝王は考えた。しかし七つ目の穴をあけた日に渾沌は死んでしまった。

　小初にとって水中は渾沌未分の世界です。そこでは善悪が融着してしまっていて、「旧套の良心過敏性にかかっている小初の意地も悲哀も執着も性を抜かれ、代って魚介髓が持つ素朴不逞の自由さが蘇った」とあります。暴露してしまうと、「旧套の良心過敏性」とはいったい何か、わたしにはさっぱりピンと来ませんでした。ただ、良心が過敏であるという表現をこれまで見たことも聞いたこともなかったため、良心をいささかネガティブに捉えている言葉に引っかかったのです。

　岡本かの子は小説家としてよりも先に歌人、仏教研究家として名を成した人ですが、『仏教人生読本』で、「良心というものは時代によって変り、周囲の情勢によって変ることもあります。自分の肉体の貞操を売っても、夫へ心の貞操を捧げるのを良しと認めた封建時代の女性の良心は、もう今日の女性の良心ではありません」と言っています。ここで言われる封建時代の良心を別の言い方で表したのが、すなわち旧套の良心ということになりましょう。また、『雛妓』において、主人公の歌人かの子に「わたくしはあまりに潔癖すぎる家伝の良心に虐《さいな》まれることが度々ある」とも言わせています。

　封建時代の家の良心というものがある——これはわたしにとって新しい発見でした。家を前提として倫理も形作られるとすれば、家を基準に善悪も決まるということになります。なるほど考えてみれば、封建制度と聞いてまず思い浮かぶ仇討ちは、今日の倫理観や法の考えからすると認められませんが、封建制度においては善の行為と位置付けられるものでしょう。親の仇を討つことは家の良心に従うことにほかなりません。家にとってよいこと、家が望むことを行動の規範とする社会では、良心はわたしたちが普通考える個人の良心ではなく、家の良心という形をしているのでしょう。

　こう考えると、小初は家の良心に過敏になってしまっているというのが「旧套の良心過敏性」の意味するところだと言えそうです。

小初は近代化で都会から追いやられてしまった旧式の水泳場を死守する父と運命をともにするつもりです。そして、都会人としての虚栄心を持つ父と同様、小初自身も、都会の猛威におびえつつも都会への憧憬があり、ぬぐいきれない執着を身のうちに感じています。薫少年からあのように若い生命力を吸い取ろうとする小初のことです。新しい文化の暴力的な力と若いエネルギーを持つ東京に魅惑を覚えるのも不思議ではありません。父や自分の魂の置き場は、大東京の真中よりほかにはないのだと小初は考えるのです。

## 三

小初親子の周りには水泳場を手伝う貝原という五十がらみの男がいます。岐阜から上京して成功した宮大工上がりの材木屋です。そのため小初の父は貝原のことを陰では田舎者と罵倒しています。一方の小初は、貝原が自分目当てに水泳場を支援していることがわかっています。父と自分が都会に戻るためには貝原の援助が必要だと考える小初は、薫との初恋を味わいながらも、貝原に誘われるままに、何遍も二人で踊りや食事に行ったりしています。そして、そんな自分の功利心を認め、薫との初恋の戯れに軽蔑すらも覚えているのです。

はじめ、小初の悩みは「恋をとるか、生活をとるか?」であるように見えました。しかし、それはどうやらわたしの早合点ないし浅はかだったようです。

貝原は独身ではありませんでした。男やもめというのとも違います。妻子がちゃんとあるのです。小初が貝原を選ぶということは、貝原の妾になるという意味になるのです。このことは、小説の中盤、貝原が小初に話を切り出す場面で初めて読者に明らかとなります。

貝原がいつものように小初を街へ誘いだし、小初に申し出をするその場面は、『渾沌未分』の中でも重要な意味を持っているとわたしは考えます。この場面が小説の結末での小初の行動に強く影響していると思われるからです。

貝原は「世の中には、相当な知識階級の女でも、何か資金の都合のため、人の世話になるという手があります。あなた先生をおもちゃにする気は毛頭ありません。あなたの持っている血筋をここに新らしく立てる私の家の系図へちっとばかり注ぎ入れて頂きたいのです」などと、もっともらしい口吻で悪びれもなく言いのけます。回りくどい言い方にごまかされそうですが、要するに貝原は、資金援助をする代わりに妾になれと言っているのです。その時、貝原の顔は「利を掴むときのような狡猾な相を現わして来た」と描写されています。

小初の父の水泳場は現在、貝原の材木置き場を無償で借りて運営することができています。貝原の申し出を断れば今後、材木置き場で水泳場を続けることは難しいでしょう。父と子の困窮が加速するのは必至です。

したがって物言いは丁寧ですが、貝原が卑怯な男であることは明らかでしょう。それればかりか、これは妻とも相談しての申し出であると二度も強調しています。貝原は地方から東京に出てきて事業を成功させた、新しい都会の猛威を代表する存在ですが、その新しさの実態は見かけ倒しでしかありません。男女同権の意識が欠如した前近代的な価値観の持ち主でしょう。

平塚らいてうらが『青鞜』を創刊したのは明治四十四年（一九一一年）、新婦人協会を設立したのは大正八年（一九一九年）でした。『渾沌未分』の世界が何年に設定されているかは明確に書かれていませんが、水泳場のある南葛飾郡砂村が東京市に編入され、城東区砂町なったのは昭和七年（一九三二年）のことですから、『渾沌未分』発表時の同時代を描いていると言ってよいでしょう。

小初は「世の中をずっと苦労して来た貝原にむしろ性格の頼み甲斐を感じる」ようですが、貧しい女性を妾にすることに何ら良心の苦痛を抱かず、疑問を持つことのできない男、それが社会の道義に反すると考えられない男、根本的に女性蔑視をしている男を、頼み甲斐があるとすることは、わたしにはできません。

ところで、妾について少し調べてみると、明治時代には一時その存在が公認されており、明治三年（一八七〇年）十二月に制定された『新律綱領』では、妾が妻と同じく夫の二等親、つまり配偶者と認められました。(1)江戸時代にも妾を持つ風習は身分限らず広く見られましたが、江戸時代の妾はあくまで奉公人に過ぎなかったといいます。明治時代となり妾の存在を政府が公認したことは、妾を持つことが「男の甲斐性」であるとする風習の助長につながったとも考えられます。

しかしその後、ヨーロッパの一夫一婦制にそぐわない妾制度は、不平等条約改正問題を背景とし存廃の議論が元老院で起こり、明治十三年（一八八〇年）の旧刑法（明治十五年施行）では妾に関する条項が消えました。さらに明治三十一年（一八九八年）、戸籍法によって戸籍面からも妾の字が消えることとなるのです（もっとも、こうして法律上廃止された妾ですが、風習としてその後も日本社会に残っていくわけですが）。

たとえば樋口一葉の小説『わかれ道』（明治二十九年）

では、物語の最後に妾になることを選ぶ女性が描かれています。それればかりか、樋口一葉自身も妾制度と無縁ではなかったようです。樋口一葉が貧困に苦しんだことは有名ですが、一葉は二十二歳の時（明治二十七年）に久佐賀義孝という男に金銭的援助を頼んでいます。久佐賀に関する資料は少ないようですが、相場師、易学者、実業家などといわれています。

この久佐賀という人は残念ながら慈善家ではなかったようで、資金を援助するのはやぶさかではないがその代わり妾になれと、一葉に要求しました。一葉はそれを拒否したと見られ、「ただ目の前の苦をのがる、為に、婦女の身として尤も尊ぶべきこの操をいかにして破らんや」と日記に書き残しています。

小初は妾制度に現れている女性蔑視や男女の不平等に対して問題意識を持っている人ではありません。都会での生活を取り戻すために貝原の妾になってもよいと考える自分の功利心に切なさとやるせなさを覚えるだけです。

いよいよ貝原から正式に申し出を受けた小初はさて、どのように反応するのでしょうか。

自分の媚を望むなら、それを与えもしよう。肉体を望むなら、それを与えもしよう。魂があると仮定して、それを望むなら与えもしよう。自分がこの都会の中心に復帰出来るための手段なら、総てを犠牲に投げ出しもしよう。だがこの宮大工上りの五十男の滑稽な申込みようはどうだ。

「貝原さん、子供が欲しいなんて云わずに真直ぐに私が欲しいと云ったらどうですの」

この場面は読めば読むほど小初の転換点となったように思えます。家父長制の中では、女は子を産むことが何よりも優先される務めでありましょう。それは小初とて例外ではありません。小初が家業を継ぐだけでなく、小初の子が小初のように水泳の天才になることも、父が期待するところであろうと思われます。しかし、小初はこの台詞で明らかに、女に課せられる子どもを産むという使命に反発しています。自分の体なり心なりを欲している男に囲われることは受け入れられても、男の家系のためにまるで子どもを産む道具として扱われるのは御免被る。小初のこの女としての自尊心は、妾の風習よりもむしろ、家父長制における婚姻制度とこそ対立するものでしょう。小初の複雑なシチュエーションをすべて無視して、普通の結婚をすると想像してみた場合、小初は「〇〇家の嫁」とかいうものには到底なれない女性であるとしか思えません。
家業を存続させ都会に返り咲くことは、家の良心に従うことでしょう。家の良心に従うことは小初にとってやぶさかではありません。しかし、そこに一つの条件が隠れていたのです。小初の自尊心が傷つけられないかぎりにおいては、という条件が。
嘘をついているのは貝原ではなく、小初の方だったのではないでしょうか。家の良心が命じるとおりに都会への復帰を果たすためであっても、自尊心が保てないようなことはできない。小初の貝原の言い様に対する反発は、小初自身も意識しないなかで小初の自我が現われたものだと言えるのではないでしょうか。そのような小初のことを、父も、貝原も、薫も、真に理解してはいません。

四

小初は貝原に五日後の遠泳会が終わるまで返事を待ってくれるように告げます。そうして迎えた遠泳会の日。あいにくの雨天のなか、小初が先導をとり生徒たちが二列になって後に続いていきます。荒川放水路を海に向って下っていくのです。遠泳隊が河口に辿り着き、まもなくゴールというとき、小初は抜き手を切りむやみやたらに泳ぎ出します。薫と貝原の存在が鬱陶しくなった小初は、生徒たちにも頓着せず、渾沌未分の水中に身を投じていくのです。そこにいるのはただ己一個のみ。このときの小初の心情は次のように描写されています。

向うものが運命なら運命のぎりぎりの根元のところへ、向うものが事情なら、これ以上割り切れない種子のところに詰め寄って、掛値なしの一騎打の勝負をしよう。この勝負を試すには、決して目的を立ててはいけない。決して打算をしてはいけない。自分の一切を賽にして、投げてみるだけだ。そこから本当に再び立ち上がれる大丈夫な命が見付かって来よう。今、なんにも惜むな。今、自分の持ち合せ全部をみんな抛げ捨てろ——一切合財を抛げ捨てろ——。

冒頭で引用した『雛妓』の一節の言葉「人生の何物かに向って闘い挑む」が思い起こされます。小初がまっさらな自分になって進み入ろうとする渾沌未分の世界とは、いったいなんでしょうか。わたしはそれを青春ととらえたいと思うのです。岡本かの子が自身の文学の主題の一つとした若さとは、青春とも言い換えられるでしょう。どこまでも抜き手を切って渾沌未分の世界を進んでいく小初の姿から、「女の青春とは何か？」という問いがわたしの中にむくむくと湧き上がってきたのです。

小初は薫から幼い生命力を吸い取るような女性です。力強い生命力に満ちている小初は若さに貪欲であり、言い換えれば青春に貪欲であるといえます。貝原の妾になる道を選ぶことは小初にとって自尊心を殺すことに等しい。それは、青春の死を意味するでしょう。

サミュエル・ウルマンは、青春とは人生のある期間をいうのではなく、心の様相をいうのだと言いました。人が老いるのは年を重ねることによるのではない。理想を失うときに初めて人は老いる。情熱を失うときに精神はしぼむ。希望があるかぎり人は若く、失望とともに老いるのだと。

わたしは青春に対して鈍感に生きてきてしまった人間です。たとえば十代のある時期は紛れもなく自分の青春だったと、自信を持って言える記憶がありません。青春に対する理解も長らく、「青春とは人生のある期間」をいう言葉だと思っていました。それだけでなく、少年や青年のものという固定観念が今でもぬぐい切れず、青春小説でまず思い浮かぶのは、『若きウェルテルの悩み』(ゲーテ)や『トニオ・クレーゲル』(トーマス・マン)。そもそも、青春に対するセンサーが鈍かったためでありましょうが、女性作家の小説でこれは女の青春を描いているというものを、さっと挙げることができません。愚鈍にもこれまで女の青春という視点を持たずに小説を読んできたということに、とうに青年期を過ぎた今になって、気づいたのです。

岡本かの子という女性は、瀬戸内晴美による伝記を読んでも、生涯、青春というものに執着し、それを己の芸術のエネルギーとしていった人だと思います。二十歳前後で結婚し他家に入る女にとって、青春とはどんなものであり得たのでしょうか。岡本かの子は同時代の女性の青春への渇望を自分こそが代弁するのだ、との覚悟と矜持をもっていたように思われてなりません。渾沌未分の世界に飛び込んでいった小初は、己の青春を追い求める旅の扉を開けたのであり、同時に、それをもって岡本かの子の文学の扉も開かれたのだと、わたしは思います。

## 五

最後に、『渾沌未分』のほかに二つ、ぜひ触れておきたい作品があります。

青春と旅というテーマで岡本かの子は『東海道五十三次』という短編を書いています。中老となって青春を取り戻した男が登場する作品です。語り手の「私」は風俗史の研究者の夫に連れられて東海道を始めて旅するのですが、そこで不思議な男と出会います。夫と顔なじみらしい、作楽井《さくらい》という中老の人です。作楽井が登場するのは文庫本でわずか五ページほど。紙幅が割かれるのはあくまで夫婦の旅の様子です。それにもかかわらず、作楽井はこの短編の中で強い印象を残しています。

作楽井は東海道に「足を粘り取られてる」人です。三十四歳で東海道を知って以来、品川を出発し大津まで着くとまた東京へと帰り、旅を繰り返すことをしています。妻からは愛想をつかされ出ていかれる始末。それでも、平穏で平凡な生活を捨て、東海道を旅し続けているのです。作楽井は、旅の間の「孤独で動いて行く気持ち、前に発った宿には生涯二度と戻るときはなく、行き着く先の宿は自分の目的の唯一のものに思われる」、東海道は「何度通っても新らしい風物と新らしい感慨にいつも自分を浸すのであった」と、東海道の魅力を語ります。

なぜ繰り返し東海道を歩くのか？　作楽井はその理由を「目的を持つ為に」「憧憬を作る為に」と説明しています。作楽井は中年を過ぎて青春のある人生に目覚めたのだといえます。そうして青春を摑んだが最後、二度と手放そうとはしなかったし、できなかったのでしょう。

作楽井と同じように、青春を取り戻した老女の話として読めるのが、『みちのく』です。『みちのく』は数分で読めてしまうほど特に短い作品であり、岡本かの子文学の中でも目立たない存在でしょう。語り手の「私」が講演で訪れた東北のある町で聞いた四郎馬鹿の話が主軸となっています。四郎にはお蘭という仲のいい呉服店の娘がいました。あるとき、「あんたが私をお嫁に貰うには、もっと立派な賢い人でならないじゃ――」というお蘭のその場しのぎの言葉を信じた四郎は、興行師に騙されて道化となり、町に戻らないままやがて行方もお蘭の耳に聞こえなくなってしまいました。

お蘭は父を亡くし、家を背負わなければならなくなります。しかし、婿をとるように生前の父にも親戚にも叱責されながら、お蘭は首を縦に振ることはありませんでした。四郎が自分の結婚をどこかで伝え聞いたら、どんなに落胆することだろう。このことがお蘭の結婚しない理由でした。「自分が婿をもらい、世の常の女の定道に入るとすれば、この世の中のどこかの隅であの白痴が潰え崩れてしまうような傷ましさを、お蘭の心がしきりに感ずるのをどうしようもなかった」。いつか婚期を失ってしまったお蘭は自分自身を諦め切っている気持ちに伴って、もはや四郎を生ける人としては期待しなくなりました。

「私」が聞いた話はここまでです。しかし、お蘭と四郎の物語には後日譚がありました。この後日譚にこそ、この短編のよさがあると私は思います。

「私」はこの話に興味をもち、町の年寄りを見つけてはお蘭や四郎について訊ねます。するとある老婦人から、お蘭はまだ生きているはずだと教えられます。お蘭のいるF――町はちょうど講演会で回る町でした。そして「私」が探すまでもなく、F――町に入ると出迎えた婦人たちの中にお蘭の姿がありました。白髪の上品な老婦人になっていたお蘭は、耳も遠く腰も曲がっていましたが、「極めて快活で人には剽軽らしいところを見せ、出迎えの連中の中での花形になって」いました。「もっと悲劇的な憂愁を湛えた人柄を想像していたのに」という「私」の述懐は、読者の気持ちでもあるでしょう。お蘭は次のように「私」に語ります。「一時は四郎も死んだことにして思い諦めましたが、なにしろ自分より六つ七つ若いのですからまだ生きているかも知れません。もし四郎が帰って来たら労わって迎えてやる積りです。こう心を定めてから、気持はだいぶ楽になりました」。そのため、拵えた四郎の位牌も捨ててしまったというお蘭。「私」は「不思議な人情を潜った老女の顔に影のように浮く薄白いような希望のいろ」を認めます。

わたしはお蘭が四郎のことを思って家のために婿をとる道を選ばなかったこと、その芯の強さと美しさにとても感動しますが、それ以上に、老年となったお蘭が「悲劇的な憂愁」をまとっているのでなく、むしろ快活であり、その顔に「希望のいろ」を湛えているということに、より一層の深い感動を覚えます。お蘭は四郎が生きているかもしれないと思うようになったことで、青春を取り戻したのではないか。そのように思えるのです。「私はこの老婦人と一緒に永遠に四郎を待つ気持になれた。」という一文で『みちのく』は閉じられています。待つことの絶望ではなく希望がこの小さな短編に示されています。一見、受動的な待つという行為が青春となっていることに、素晴らしい感動があるのです。

註

（1）村上一博「明治前期における妾と裁判」『法律論叢』第七一巻第二・三号、明治大学法律研究所、一九九八年。

〈特集・岡本かの子〉

# 岡本かの子「上田秋成の晩年」について

牧子嘉丸

岡本かの子は昭和十一年（一九三六年）六月に『文学界』に発表した「鶴は病みき」で、自殺した有名作家の心理に迫った描写が注目され、いわゆる文壇デビュー作となった。

この作品はしかし、賛否相半ばし、そのモデルとなった芥川龍之介像への批判も多かった。私などもはじめて読んだときは、芥川の意外な一面を覗き見たようでそれは面白かったが、なぜか読後感はよくなかった。

かの子はその前年に「上田秋成の晩年」をやはり『文学界』に発表している。「鶴は病みき」以降、堰を切ったように「母子抒情」「花は勁し」「金魚撩乱」など次々と力作を発表するなかで、ほとんど顧みられることのない作品だが、私には忘れがたい一篇である。

これは題名通りの、江戸時代の文人上田秋成の晩年を描いたもので、その反骨・変人と言われた作家の心理に肉薄している。

「この非妥協的で生活力の弱い天才驕児が四十過ぎてから物質に離れ、妻に訣れ、友に離れ、世間も人間も捨てたやうで、また内にそれらへの愛著を深く蔵し、全く孤独になつて、あの高齢まで生き延びて死ぬ。この間の経路と心理を探りながらこの文豪の性格に漂ふ寂莫と美欲と神秘性を描き出してみた」と、「自作案内　肯定の母胎」でその執筆動機を語っている。

冒頭の「文化三年の春、全く孤独になつた七十三の翁、上田秋成は京都南禅寺内の元の庵居の跡に間に合せの小庵を作つて、老残の身を投げ込んだ」という一節からはじまり、「孤独と云つても、このくらゐ徹底した孤独はなかつた。七年前三十八年連れ添つた妻の瑚璉尼と死に別れてから身内のものは一人も無かつた。友だちや門弟もすこしはあつたが、表では体裁のいいつきあひはするものの、心は許せなかつた。それさへ近来は一人も来なくなつた。いくらかからかひ半分にこの皮肉で頑固なおやぢを味ひに来る連中でも、ほとんど盲目に近くなつたおいぼれをいぢるのは骨も折れ、またあまり殺生にも思へるからであらう。秋成自身も命数のあまる処を観念して、すつかり投げた気持ちになつてしまつた」と、その寒々とした老境に迫まっていく。

上田秋成は文化六年七十六歳で死去するが、逆算すると享保十九年の生まれになる。名君と謳われた八代将軍吉宗の時代も終わりに近づいたころである。出生の地は大坂曽根崎ということだけはわかっているが、父親も生みの母もよくわからず、「生レテ父無シ、其ノ故ヲ知ラズ。四歳ニシテ母マタ捨ツ」と書いている。生地が曽根崎という花街だけに諸説があるが、はっきりしない。そのあとにすぐ「倖アリテ上田氏ノ養フ所トナル」とつづけている。

この上田氏というのは米商いの中心地堂島の永来町で「嶋屋」と号した紙油商で、秋成は四歳のときに養子に貰われたのである。上田茂助という人が養父で、本名は東作、長じて仙次郎と名付けられた。秋成というのは四十を過ぎてからの字で、武家のように聞こえるが、商人の出である。

かの子はその幼年時の心理をこんなふうに書いている。「物ごころついてそこに父と呼び母と呼ぶところの人があるのに気がつく時分にはもう堂島の上田の家に引取られて居た。上田氏が自分の何に當るか訊く気はなかつた。訊けば嘘をつかれるだらうと判つてゐた。同じ嘘なら現在むやみに可愛がつて呉れる上田夫妻を、父と呼び、母と呼ぶ嘘の方が、堪へられた。彼の數奇な運命は幼年の彼に、こんなませた考へをもたせた」

小児の秋成に「こんなませた考へ」をもたせたのはかの子であるが、後の複雑・繊細・偏執・意固地の性格から類推したのであろう。しかし、すでにこの時期にその入り組んだ性格が胚胎していたとしても不思議ではない。

この作品は秋成の晩年の老境・老残に焦点を当ててはいるが、その生涯も一篇に巧みに物語られている。文化五年死の前年になる最後の執筆「膽大小心録」にある一節「もう何も出来ぬ故、煎茶を呑んで死をきはめている事じや」を引いて、小庵での夕飯や茶を喫する様子を描いている。

「紙袋からごろごろと焼米を鉢にあけて秋成はそれに湯を注いだ。そこにあつた安永五年刊の雨月物語を取つて鉢の蓋にした」と、さりげなく「雨月物語」を出す。

「この奇怪に優婉な物語は、彼が明和五年三十五歳のときに書いたものである。書いてから本になるまで八年の月日がかかつてゐる。推敲に推敲を重ねた上、出版にもさうたう苦労が籠つてゐた。顧みると国文学者の分子の方が勝つてしまつた彼の生涯の中で、却て生れつき豊であつたと思はれる、物語作者の伎倆を現したのは僅かに過ぎない。その僅かの著作のうちで、この冊子は代表作であるだけに他の著作は散逸させてしまつても、これには愛惜の念が残り、晩年になるほど手もとに引きつけて置いた」と、愛着を示しながら、またこうもつづくのである。

「運命に馬鹿にされ、引ずり廻されたやうな一生の中で、自分の好みや天分が何になつたか。なまじそれがあつた為に毛をさか捥《も》ぎにされるやうなくるしい目にあつたと思へば、感興に殉じた小伎倆《こうで》立《た》てが、自分ながらいまいましく、この冊子を見る度にをこな自分を版木に刷り、恥ぢづら掻いて居るやうで、踏まば踏め、蹴らば蹴れ、と手から抛つて置くとこまかせ、そこら畳の上に捨ても置いた」と。かくして、一代の傑作を「土瓶敷代りにもたびたび使つた。鍋や土瓶の尻しみが表紙や裏に残月形に重つて染みついてゐた」という無残な有様に変じさせ、「雨月物語」に対する愛憎半ばする感情を描いている。

秋成の著作は等身に及ぶといわれているが、国学研究から国史、校釈、俳諧・戯作・和歌・紀行文・随筆と、生涯の執筆は多岐にわたっている。おまけに煎茶道への祖述など含めると、よほどの専門家・研究者でなければ知る由もない。

しかし、今日、上田秋成の文学史における評価は、「雨月物語」と後年の「春雨物語」に極まる。かの子はこの自作に寄せる秋成の心情をこう描いている。

「うつし世のうつしごとの上では満足出来ず、さればとて死を超えては、いよいよ便りを得さうも無い欲情―わづかにそれを紙筆の上に夢にのみ描いて、そのあとを形にとどめて来た。それは現実の自分の上では、身体でつきとめようとすれば、こころに遁れ、こころで押へようとすれば身体に籠る。雨晴れて月朦朧の夜にちび筆の軸を伝つてのみ、じくじくした欲情のしたたりを紙にとどめ得た。『雨月』『春雨』の二草紙はいはばその欲情の血膿《ちうみ》を拭つたあとの故紙《こし》だ」

夫である岡本一平の回想によれば、かの子は「近松、西鶴より秋成、芭蕉を好んでゐた」そうだが、芭蕉はともかく秋成の幻想・優美な作風に魅かれていたのはわかるような気もする。しかし、かの子のこの心理描写はいささか抽象的・観念的である。通好みであるが、美文修辞に走りすぎている。ここでは作品に具体的にはふれていないが、代表作「雨月物語」の幾篇かを見て、かの子の解釈を考えてみよう。

巻頭第一作「白峰」は「あふ坂の関守にゆるされてより、秋こし山の黄葉見過ごしがたく、浜千鳥の跡ふみつくる鳴海がた」と長い道行の文ではじまる。東国から西国に下り、難波を経て須磨明石をすぎ、讃岐の真尾坂に着く。そこの白峰に崇徳上皇の陵がある。ここで旅の僧が夜もすがら供養をしていると、「円位、円位」と呼ぶ声がする。

声は上皇の亡霊であり、僧は西行であることがわかる。その西行にむかって、院の亡霊は現世での非道の仕打ちへのうらみつらみを述べ、ついに激して「この怨念晴らさでおくものか」と魔王さながらの形相で荒れ狂う。この場面は本編中最高の超絶技法ともいうべき描写で、迫真力にあふれている。

成仏得度を説く西行にたいして、やや落ち着いた崇徳院は「ことわりなきにあらず、されどいかんせん」とこたえ、「理屈はわかるが、この情は抑えきれない」と心情を吐露する。これは「雨月」全篇を貫いている考えでもある。

なかに最も凄惨な話として「青頭巾」という作品もある。大徳の阿闍梨で篤学修行を積んだ高僧が稚児を可愛がり、その子が死んでも手放さず、あろうことかその肉が腐り爛れ骨になってもしゃぶりつくすという凄まじい内容である。高徳の仏僧がたまさか美しい稚児を置いたばかりに、愛欲の迷路に陥ったのである。

あの理智聡明な崇徳院も、仏果を得た阿闍梨も、心放せば魔道に落ち、妖魔に魅入られる。ましては庶民をや、である。「吉備津の釜」は、素行の修まらぬ放蕩息子が、親に孝、夫に忠という申し分のない嫁を貰いながら、女道楽がやまず、ついに裏切られた貞淑な孝女の怨念に身を滅ぼすという話である。

また、溝口健二監督によって映画化され、ベネチア映画祭で銀熊賞を受賞した「雨月物語」は、「浅茅が宿」の勝四郎と妻宮木の話を主筋におき、「蛇性の淫」の優美で奇怪な幻想を織り交ぜた傑作だが、この主人公もまた「どうにもせんかたない」思いにとらわれ、止める宮木を振り切って、京へ上る。やがて、邯鄲の夢から覚めて故郷に帰るのだが、結末で真実の愛を知るのである。

かの子は「うつし世のうつしごとでは満足出来ず、さればとて死を超えてはいよいよ便りを得そうも無い欲情

―わづかにそれを紙筆の上に夢にのみ描いて」「月朧朧の夜にちび筆を伝わってのみ、じくじくした欲情のしたたりを紙にとどめ得た」『雨月』や『春雨』は、「いはばその欲情の血膿を拭つたあとの故紙」だという。いまみた雨月物語に登場する様々な人物は、まさにこのどうしようもない「欲情」にとらわれ、突き動かされ、悲劇や惨劇を迎えるのである。

岡本かの子は、冒頭の自作案内につづけて、作者について「この秋成は歴史上の日本人には珍しい十九世紀末期式の個人性が発達した人物だが、その個人性の貫き方に西欧人と違つたさびと仄かな明るさがある。やはり日本人である。ここを書き分けるのにもパッションが湧いた」と書いている。卓見である。

ここで、いささか突飛でかつ恣意的なことは承知しながら、十九世紀末から二十世紀にかけて個人性を貫いた西欧人作家と比較してみたい。たとえば、サマセット・モームという作家がいる。「現代のモーパッサン」と称されたほど、長短篇にすぐれた作品を残したが、このモームの創作動機は人間の「わからなさ」であると、よく評される。

短篇では「雨」「赤毛」「手紙」などすぐ思い浮かぶし、中篇「月と六ペンス」や代表的長篇「人間の絆」の主人公もまた人間の「わからなさ」を表している。アメリカ映画「人間の絆」は、邦題では「痴人の愛」と題されて喧伝されたが、もちろん谷崎潤一郎の同作からの借用・剽窃である。しかし、主人公フリップのベティ・デービス扮するミルドレッドにたいする異常なまでの恋情・執着・未練はなるほど痴情・痴人の愛である。

モームはなぜ人間がそんなことをするのか、他者には見せない欲望をどのように露呈するのか、ストーリー・テラーとして巧みに仕組んで物語る。人間の「わからなさ」が生み出す物語でもある。このモームがよく比較されれ、自身も再三引き合いに出すのが、チェーホフである。チェーホフもまた、人間の「わからなさ」を捉えた作家である。「かもめ」も「桜の園」もまた「ワーニャ伯父さん」も何をしだすかわからない人間をわからぬまま見つめている。モームのように何の落ちもないまま、その終幕を迎える。

筋のある面白い話を書く自分は通俗作家と見なされ、何の変哲もない日常を描いたチェーホフは一流作家として遇されることへの不満をモームはしばしば漏らしている。そして、猫も杓子もそれを真似ていることも。

この西欧近現代のふたりの作家と、極東のそれも百年以上も隔たった文人の作品を較べるのは、土台無理な話である。しかし、かの子が秋成に十九世紀末期の個人性が発達した人間を見るならば、その作にも近代文学の萌芽がありはしないか、と思うのである。「雨月」や「春雨」が、人間のわからなさを描いたという意味でもあり、また怪奇や幻想に人間存在の不安や孤独を見つめたという意味においてもであるが、はたしてどうだろうか。

さて、最後に小庵に戻って、もうすこし秋成の夕餉の様子を覗いてみよう。

「湯気で裏表紙が丸くしめり脹らんだ蓋の本をわきへはねて、鉢の中ほどよく脹れた焼米を小さい飯茶碗に取分け、白湯をかけて生味噌を菜にしながら、秋成はさつさと夕飯をしまつた。身體は大きくないが、骨組はがつちりしてゐて、顎や頬骨の張つてゐるあばた面の老人が、老いさらばひ、夕闇に一人で飯を喰べて居る姿はさびしかつた」

だが、夕餉はまだつづくのである。

「箸を箸箱に仕舞ひながら、彼はおおさうぢやと気がついて、部屋の隅からざるで伏せてあつた小鍋を持つて来て箸を突込み、まづさうに食ひ始めた。鍋にはどぜうが白つぽく煮てあつた。五十七歳で左眼をつぶして仕舞ひ、六十五歳でその左の眼がいくらか治つたかと思ふと、今度は右の眼が見えなくなつた。それから死を待つ今日まで眼の苦労は絶えなかつた。

どぜうがよろしいと勧める人があるので食ひ続けて居るのを、一度わからずやの僧侶に見付かつて、人間は板歯で野菜穀もつを食ふやうに出来て居る。どぜうなど食ふは殺生のみか理に外れてゐる。とたしなめられ、その場は養生喰ひだと、抗弁はしたものの、その後は、食うたびに気がさした。死ぬのに眼などはもうどうでもよろしいではないかと思ひつつも養生はやめられなかつた」

この場面を読むと、あるいは後年の代表作「家霊」の泥鰌鍋でいのちをつなぐ老彫金師の姿を思いうかべる人があるかもしれない。自身もよくわからぬ何物かを追い求める執念が、「いのち」を生きぬくことだというかの子作品のテーマがすでにここにある。

秋成は尽きぬ思い出に苛立ち、どうにも納まりかねる気持ちに苦しみながら、夜半を過ぎ、闇の静けさのなかで、こう自分を叱咤する。

「こうなつたら、やぶれ、かぶれ、生きられるだけ生きてやらう。身體が足の先から死に、手の先から死にして行かうとも、最後に残つた肋骨一本へでも、生きた気込みは残して見せやうぞ—。考へがここまで来ると、彼は不思議な落付きが出て来た」

こうして長かった夜は明けるのである。

この「上田秋成の晩年」は、かの子の古典の深い教養と人間心理の鋭い洞察を基にした、「彼女の傑作の一つである」と平林たい子に言わしめた作品である。かの子は、この時四十六歳でまさに満を持して作家活動が始まろうとしていた。芥川をモデルにしてややスキャンダラスな評判を呼んだ「鶴は病みき」に較べれば、地味な作だが見る人は見ていたのである。

かの子自身「私の作品では渋い書き方の方だが、今でも好感を持つてゐる」と述べている。もちろん、自作への好感だろうが、秋成その人への思いでもあるにちがいない。

岡本かの子の筆ははるばると昔の江戸文人の姿と魂を呼び寄せて、何やら身近に感じさせてくれる。そして、この偏屈でいささかやっかいな御仁がなぜか懐かしく偲ばれてくるから不思議である。

〈特集・岡本かの子〉

# かの子の色彩、生命のかがやき

杉田絵理

昨年はあまりに悲しい知らせが多く、夏じゅう泣き暮らしていたら秋がきてしまった。それでも本を開かない日はなかったしこれからもそうしていく。本は生命の源だからだ。八月十六日の日記にはこう書いてある。

「岡本かの子、めちゃくちゃいいな。映像が目に浮かぶ。好きだ。やっとかの子を読む機会を得た。うれしい」

今号の特集が岡本かの子に決まるや否や神保町に足を運んでみると、入手できる新本は意外なほど少なかった。最近の人は岡本かの子を読まないのだろうか？　その日は古書店を覗いてまわる時間的余裕がなかったので文庫を一冊買って帰った。安野光雅さんの装画が素敵なちくま日本文学の版だ。表紙にはアケビとカラスウリが描かれてあり今の季節にぴったり。この文章が印刷されるとき私は寒さに身体を縮こませているだろう。

かの子の創作活動が韻文から出発したことを知って後半にいくらか収められている短歌を読む。いずれも第二歌集「愛のなやみ」に収録されている次の二句がとくに印象に残った。ストレートな色彩の表現と、無生物から滲み出る色っぽさというか艶っぽさが美しく、行為者の所作、そしてその人がいる空間のにおいさえ伝わってくる感じもある。ただただ、光景が見える。

　いかなめかなめと解く黒髪とくれなゐの莓の磁器に更くる
　　夏の夜
　じゃがいもの真白き肌に我指の傷の血しほの少しに
　　じむも

短歌という形式はよほど映像と相性がよいのか、私は無限に空想を広げて遊ぶことができそうだった。

　二十代の後半を過ごした駒込のグリーンマグノリアに私の歌心は置いてある。立派な木蓮が植えられた家が近所にあって、毎春大きな紫の花を咲かせるのが楽しみだった。木蓮は開花して三四日も経つと痛んだバナナのように変色し始める。夜、外灯の光を浴びた朽ちかけの花はとても美しかった。グリーンマグノリアってなんだろうとお思いでしょうが、何を隠そうアパートの名前です。大家さんにとってもあの木蓮が印象的でそう名付けたのだろうと私は疑わない。


大寺の庭に椿は敷き腐り木蓮の枝に散りかかる櫻

　かの子は木蓮の文字が入っている歌も作っていた。目線の動きとしては下から上に移動するのだけれど、私はもう一度椿が「敷き腐」っている地面を見たくなる。確かに椿は首ごとボロンと落下して、腐るように朽ちていく。私の好きな木蓮も、枯れるというより腐るタイプの花だ。花弁が水々しいからこそ腐るのだろう。

　美しく咲き誇ったあとの花の姿に惹かれるようになったのは私が三十代になったせいだろうか。人間は体力も肌も二十歳前後を境に老いに向かっていくらしい。私はもはや老い上等と思っている。人も花もその時々での美しさがあるのだから、それでいい。今年もあの家の木蓮が朽ちるところを確かめに行けばよかった。私の脳内では「生命！　生命！　生命！」という文字がエンドレスに流れ始めた。

　かの子文学の特徴は、奔り出る生命そのものを描き出し、そのなかで最も生命力の強い人やもののかがやきを眼前に見ることができる点にあるのではないかと思う。

　小説では「渾沌未分」がとりわけ好きだ。私はこれほど映像的な小説を読んだことがない。主人公小初の造形描写はとくに巧みで、たとえば「何代も都会の土に住み一性分の水を呑んで系図を保った人間だけが持つ冴えて緻密な凄みと執拗な鞣性を含んでいる」という冒頭の一文をとっても田舎者の私はとても憧れてしまうし、「こういう職務に立つときの彼女の姿態に針一突きの間違いもなく手間の極致を尽して彫り出した象牙細工のような非人情的な完成が見られた。人間の死体のみが持つ虚静の美をこの娘は生ける肉体に備えていた」などと読めば彼女に熱視線を送る男の気持ちがわかるような気さえしてしまう。女の私から見ても小初はとても魅力的な人だ。

　こんな人がお金で苦労したり男女関係で悩んだりしているというのは妙にリアルで生々しい。小初にとって肉体を満足させる存在として恋人の薫が、生活を満たしてくれる存在として貝原がいる。貝原は妻子もちの五十男で小初を妾にしたがっている。それは小初が都会に返り咲きたいと切望する功利心から自分で仕掛けた作戦であったにしても、自身の身体が受け付けようとしないので踏ん切りがつかない。それを知った年下の薫の態度は「弱い消極的な諦め」でしかなく、小初の生命力との釣り合いはまったく成り立っていない。静かな盛り上がりを見せるこのシーンで放たれる字余りの短歌のような台詞には、海底で煮えたぎるマグマのような感じがあって私はとても好きだ。同時に小初の諦観も伝わってくる。

「薫さん、ついてお出でよ。東京の真中で大びらに恋をしよう、ね」

こんなふうに二人の男との縺れ合う三角関係が綴られてはいるものの、小初を縛るもう一人の男として父敬蔵の存在がある。先祖代々継いできた家業を傾かせ、暮しを支える事業も時代遅れになり、かろうじて都会にしがみついてはいても状況を良くする力をもはや持たない敬蔵にとって一人娘こそが誇りだった。敬蔵の小初に対する見方を「旧家の家長本能」とわざわざ書いているのは、作者自身がそれに批判的だったという受け取り方で間違いはないだろう。その小初が薫と男女関係をもち、貝原からは妾に求められていると知ったら父はどうなってしまうことだろうと小初自身が憂鬱な思いでいる。彼女は生きづらさを強く感じている。

さて雁字搦めになった小初に、すべてを振り切りひたすら波を掻き分けていくというラストシーンをかの子は用意してくれた。遠泳会が終わると薫とお別れをして貝原との約束を現実に進めようという手筈になっているのだが、この人間関係の煩わしさに耐えかねた小初は誰も彼もすっかり置き去りにして渾沌未分の世界を目指し行ってしまうのだ。縺れた糸がスルスル解けていくようで実に清々しい。水中は性を脱いだ海豚の歓びの世界。渾沌未分の境涯へ。女の筆から生まれる女こそが生きている。

昨年は本当にたくさんの優しい人が生きづらさを隠したままいなくなってしまった。とりわけ一人の俳優の死が私の心を暗くさせる。でも彼が生きてたくさんの作品や言葉を残したことや、こういう人が存在していた事実が語り継がれていくことで、後世の人間や社会に影響を及ぼすと私は信じている。かの子の歌や小説を読んでいると作品の世界で彼らが生き生きと動き始める想像を止めることができない。役柄を演じる彼らの生命のかがやきはこうした形でも私たちに届くかもしれない。

## 穴の少ない如露《じょうろ》

　岡本かの子の人と文学を指して、「撩乱」「絢爛」「自己陶酔」ということがしばしば肯定的・積極的に言われる。しかしどれだけの人が、華やぎに潜んだ陥穽にまで思考の糸を伸ばしているだろうか。

　「岡本かの子の急死には、哀憐をさそうものがある」と綴った宮本百合子は、その心の内を、「岡本かの子の文学によってはっきりと示されたような主観的な生命主義の悲劇は彼女の生涯とともに、日本文学の世界から消えさった問題であろうか」と訴えた。宮本の「哀憐」に符合するものを、例えばわたしは『巴里祭』の一文に見出す。「夭逝した天才の仕事には何処か寂しいエゴイズムが閃めいているものだ。」そこから更に、川端康成の時評の一節、「こころが自由画じみた文才は、思春期に例外なくマイナスの埃に埋れ、再び現れ出ることは稀であり、しかもそれは以前あったものの続きとは、決して簡単に云えない。（中略）そして文学的才能の二度目の出発は、よほど質のよくない限り、先ず不快な印象ではじまる。この際、ほんとうの早熟は滅多にないのである」などをも思い合わせる。突飛な連想であろうか。川端の批評は、直接には三〇年代中葉の新人へ向けられたものであったとはいえ、同時代の文学の兆候を鋭く捉えているのではないか。

　三〇年代の日本文学は、まず岡本かの子という才能の出現をみた。ハンセン病作家、北条民雄がこれに続いた。豊田正子を輩出した『綴方教室』は子どもの清新な眼差しを文壇に射し入れた。けれどもかれらは皆「文学的才能の二度目の出発」をはたしたわけではない。そもそも二度目の出発が、相当に困難な、あるいは北条のように可能性そのものが絶たれた社会的位置にあった。文壇の多様性を示すかに思われたこれらの現象は、実のところいよいよ文学の貧困を突きつけるのであった。

　かの子の死の直後、一平はパリの太郎に宛てた手紙に書いている。「だがタゴシ（註＝太郎）よ。内部にそれほど旺盛なものを持ちながら外界にそれを表現し流通する途に於て生れ付きや育ちで妨げが多いことにさせられた、おかあさんに忍苦の生涯が課せられたのは当然であった。注ぎ出る穴の少ない如露であり、噴火口の小さい大火山のようなものだ。」それはただにかの子の気質をだけ物語るものであってはならない。


（伊藤龍哉）

## 眸のひらめき

### 岡本太郎

「後生《グソウ》だ。私にとってながい間秘密だった原始的葬制。」――太郎は身を乗り出して、日を剥いた。木製の寝棺が傾いて、ふたが外れている。その中にきちんと寝かしたままの姿で骨が見える。膝のあたりには絣の布が、鮮やかに、ピラピラはためく。それを見るとくらくらとした。残酷でありながら浄らか。死に面して生命の歓喜に打ち震えた。

一九六六年十二月、沖縄久高島。太郎がここを訪れるのは七年ぶりであった。今回の旅の目的は、神事イザイホーを見ることである。昼食をとっていると那覇の新聞記者に声を掛けられた。後生に案内してくれるという。グソウとは沖縄の方言で、その空間は死者のもの。久高では島の西海岸づたいを歩くと、禁制の死の地帯にいたる。そこには亡骸が晒されている。民族の遠い記憶、風葬。太郎は棺とその奥にのぞくしゃれこうべにカメラを構えた。

こうして撮影された写真が『週刊朝日』に発表されると一大センセーションを惹き起こした。やがて論争へと発展する。岡本太郎は木棺を開いて中の骨を撮影したはずだと糾弾する者。太郎を擁護する側は、棺は風雨に晒され自然に朽ちたと反論。応酬は太郎の死後も続いた。だがわたしの知りたいのは、事実いかんではなく、「あの場所」へ太郎を駆り立てたその本体。

かつて太郎は、父一平との対談で、母かの子の「天性」を語りながら自身の考えを表明していた。「死に対する歓喜なんと云ったってね。これは誰でもがもてるわけでないからね。それは一つの天性です。全くのチャンスとか偶然性です。人間の生命もやはりチャンスをもって生れているから、誰もが歓喜を得られるわけでもない。（中略）チャンスというものは、理屈から考えれば否定すべきものというようなことになるかも知れないけれど、チャンスというものはこれは絶対的なものなのですからね。そのチャンスから考えて本当に選ばれたものが、死に面して生命の歓喜というものを得られるのじゃないかと思うのです。」

わたしに思い起こされるのは、レオナルドダヴィンチの「盗掘」である。見つかれば死刑になると知りながら、かれは墓を掘り返し、死体を持ち去った。人体を裂いて、人間内部の未知なる闇を解剖せんとした。そのときレオナルドもまた、死に面して生命の歓喜に打ち震えたであろう。（T・I）

〈表紙写真解題〉

# 黒い影——アイルランド西部スライゴー

立野正裕

何年も前のある秋の日、アイルランド西部の町スライゴーに行った。町からさらに北へ足を伸ばすと、変わったかたちの山が見えてくる。巨大な馬蹄形をしている。山の名はベン・バルベン。山麓に小さな教会があり、傍らに小さな墓地がある。一角に詩人イェーツの墓標が立つ。四角いかたちをした一枚の平たい石灰岩で、装飾はないが表面に墓碑銘が刻まれている。

自分の墓に大理石はいらない、墓石に刻む決まり文句もいらない、近くで切り出した石灰岩でたくさんだ、ただし表面には名前と生没年のほかこう刻んでほしい、という詩人自身の求めに応じてその墓は建てられた。

冷たき一瞥を投げよ
生にも　死にも
馬上の人よ　過ぎゆけ

イェーツは少年時代、標高五、六百メートルのベン・バルベンを好んだという。よく登ったものだという。また釣りが好きで、よく付近の小川に行って釣りざおを垂れたともいう。その小川に沿う小道をわたしも歩いてみたかった。山麓の草原に馬が放牧されていた。山腹から山頂にかけて目を投げると、緑のなかに点々と白いものが散らばっている。すべて羊の群れであった。

歩いてゆくと小道はやがて川から逸れた。前方に灌木と喬木からなる茂みのトンネルが見えてきた。蔦葛《つたかずら》が絡み合って光をさえぎるためか、かなり暗い。その暗がりのなかに道は消えている。躊躇もせずわたしは歩いて行ったが、イェーツが語ったケルトの神話や伝説がきれぎれに思い出された。川の流れの音もとっくに絶えている。奥に進むにつれ、茂みのトンネルはいよいよひっそりと静まり返るふうだった。なるほどこれでは、ふいに目の前に妖精が現われてもおかしくないな、と思われるような雰囲気が立ち込める。案の定、背後になにか気配が感じられた。物音ではない。わたしは振り返った。やはり気のせいではなかった。トンネルの入り口にいましも一つの黒い影が見えていた。するとわたしの頭にこういう文言が浮かんだ。

Something wicked this way comes.
邪悪なものがやって来る。

『マクベス』に描かれる暗い洞窟の場面で、主人公の近づく気配を察して三人の魔女の一人がつぶやく台詞である。はからずもその場で自分に想起されたその言葉はわたしをぞっとさせた。光景があまりにも時宜を得ているような気がしたからではない。よりによって「邪悪なもの」の到来を暗示する言葉を思い出してしまったことに、自分でおぞけをふるったのである。

後刻、教会に隣接する野外駐車場で、さきほど洞窟、いや緑のトンネルの入り口に現われた人の正体を見たが、むろん観光に訪れた人たちの一人にちがいなかった。だからたぶんあの黒い影はわたしの分身だったのだろう。

〈エッセイ〉

# 死者を送る

## ――映画「巡礼の約束」から

堂野前彰子

### 一　死者と歩む

「巡礼」と聞いて、人は何を思うだろうか。

ヨーロッパの文化に詳しい人ならば、フランスからピレネー山脈を越え、キリスト教の聖地サンティアゴ・デ・コンポステーラを目指す巡礼を思うだろう。あるいは、中世のエルサレム巡礼やイスラム教のメッカ巡礼、国内に目を転じて、四国八十八カ所霊場巡りや熊野詣を連想する人も多いだろうか。「巡礼」とは、聖地や霊地を参拝してめぐること、それは本来宗教的な行為をさしており、近年ではアニメの舞台となった場所を訪ねることも「聖地巡礼」と呼ぶようになった。二十一世紀「聖地」の意味は拡大解釈され、信仰も変質したということなのだろう。しかし、今ここで取り上げる映画「巡礼の約束」（ソンタルジャ監督）の「巡礼」はそのどれでもなく、チベット仏教の聖地ラサへと向かう「巡礼」のことである。

その映画は、まだ夜が明けきらぬ頃、夢を見たウォマが火を焚いて供養をするところからはじまる。夫ロルジェから代わりに供養をすると言われても頑なにそれを拒否し、火に照らしだされたウォマの表情は思いつめたように冷たく固い。明け方の供養が何を意味するのかわからないなりに、緊張した画面から、その供養に何か深い意味があることが伝わってくる。ロルジェもまた、夜明けの妻の唐突な行動に戸惑いながらも、妻を優しく見守っている。

数日後、ウォマは病院から帰ってきて、突然、五体投地でラサまで巡礼したいと夫に告げた。病院での検査ではどこも悪くなかったと言うが、五体投地で行けば半年以上もかかることからロルジェは反対する。しかし、ウォマの決心は揺るがず、雨の降る中、巡礼の旅へと出発するのであった。

ところで五体投地とは、両手・両膝・額の五体を地面に投げ伏して礼拝する方法であり、仏教において最も丁寧な礼拝とされている。尺取虫のようにして進む五体投地では、一日に進める距離はわずか十キロほどに過ぎない。驚くべきはその遅々たる歩みばかりでなく、野宿しながら旅を続けていくことである。テントや寝袋、食事を作るための鍋や食器など、持ち歩く荷物も多く、自分でその荷物を運びながら進むと二倍の時間を要することから、荷物を運んでくれる村娘二人が、ウォマの巡礼に同行することになった。

まだ村を出て幾日もたっていないある日、ロルジェがバイクにのってウォマのもとにやって来た。どうやら病院で妻の病名を聞いたらしい。映画ではその病名が明かされることはないけれど、巡礼などできるような状態ではないという。同行していた娘二人も近くの村に行ったきり戻って来ず、ウォマはたった一人で巡礼を続けていた。そんなウォマに巡礼を中止するようロルジェは言うのだが、ウォマは聞き入れようとしない。勝手にしろ、と言い捨ててロルジェは家に帰っていった。

そのすぐ後、今度はウォマの息子ノウルがウォマのもとにやって来る。実はウォマには死別した前夫との間にノウルという息子がいた。ロルジェが同居を拒んだためウォマの祖父母と暮しており、巡礼に出る前ウォマが実家を訪れても、思春期を迎えたノウルは部屋の戸を閉ざし、ウォマに会おうとはしなかった。そのノウルがウォマの弟に連れられてきて、母に会ったらすぐ帰るという約束だったのに、一緒にラサまで行くと言ってきかない。困っているところにロルジェが戻り、自分の父の面倒は隣人に頼んできたから、これからはウォマの巡礼に同行すると言った。その翌日から、ロルジェとノウル、ウォマという三人の巡礼がはじまる。三人の関係は、ウォマを中心に微妙な均衡を保ち、ノウルは少しずつ閉ざしていた心を開きはじめていった。

ある夜ウォマは、巡礼に出た理由をロルジェに明かした。前夫が亡くなる前、一緒にラサまで巡礼することを約束したという。その約束が気になりながら巡礼に出ることができずにいたが、あの朝、夢に前夫が出てきたので、死ぬ前にその約束を果たそうと思った。自分の残り少ない時間を病院のベッドに繋がれて過ごすのではなく、巡礼に捧げたい、と。病をおして巡礼に出た理由が、死別した前夫との約束であったことに、ロルジェの心中は穏やかではない。ウォマの話にじっと耳を傾けてはいたが、ロルジェは無表情なまま、ウォマに一言も返そうとしなかった。

その数日後、衰弱したウォマはとうとう起き上がることもできなくなり、前夫の遺灰で作った仏像を、ラサの寺院に奉納して欲しいと言ってノウルに託した。翌日ウォマは帰らぬ人となり、ロルジェはその土地に住む男の力をかりてウォマを鳥葬にした。その帰り、ロルジェは寺に立ち寄ってウォマの供養をしてもらうのだが、仏像と一緒に箱に入っていたウォマと前夫の結婚写真を、供養として一度は寺の壁に貼ったものの、すぐさまそれを剥がして二人の間で引き裂き、二枚になった写真を別々の場所に貼りなおした。ロルジェが突然、そのように嫉妬にかられたような行動をしたのは、供養してくれた僧の言葉が引き金となったからだ。どちらか一人が残されることなく、二人とも亡くなったのは良かったですね、と僧から言われ、ロルジェはそれまで蓋をしていた気持ちを抑えきれなくなった。ロルジェには以前から前夫に対する嫉妬のようなものがあったのだろう。二人はあの世で再び一緒になったのだという考えが頭を過ぎり、死者には敵わないという絶望が、写真を二枚に引き裂かせたのかもしれない。その時ロルジェが引き裂いたのは、前夫とウォマの仲ではなく、ロルジェ自身の心でもあったように思われた。

ウォマが亡くなってしまった以上、ロルジェが巡礼の旅を続ける理由はない。しかし、ノウルは旅を止めたくないと言う。ラサまで連れて行ってくれると約束したはずだとロルジェに迫り、火を燈してウォマの魂を送った翌日、ロルジェは巡礼を続ける決心をした。旅の供は義理の息子ノウルである。チベットにおいて約束とは、果たさなければならないものらしい。ウォマと前夫の約束に同じく、ロルジェとノウルの約束もまた、守らなければならないものであった。

とはいえ、打ち解けはじめていたロルジェとノウルの関係は、ウォマを失ったことで再びぎこちなくなっていた。それでもロルジェは、祈りの言葉を唱えながらラサへの道を進んでいく。「生きとし生けるすべてのものが幸せでありますように」というロルジェの呟くような祈りの声は、静かに映画館内に響いた。それはまた、チベットの草原を吹く風の音と重なり、巡礼の風景となった。なさぬ仲のノウルとの関係も、ウォマの前夫への嫉妬も、ウォマを失った悲しみも、全てを引き受けてロルジェはひたすら五体投地を繰り返す。途中、母ロバと死に別れた仔ロバも旅の仲間に加えて、二人と一匹の旅は続いていった。

いよいよ明日にはラサに到着するというところに来て、二人はこれまでの汚れを洗い流してからラサに入ることにした。ノウルの髪を切り、頭を洗ってやるロルジェは、いつの間にか父親の顔になっている。ノウルもまた安心してロルジェに身をまかせ、きれいに整えてもらった後、ウォマと前夫の写真をロルジェに見せた。それはロルジェが途中の寺で半分に千切った写真で、ノウルはそれを密かに貼り合わせて持っていたのである。ロルジェはその写真を見て、巡礼が終ったら二人が並んだ写真を寺に納めてあげよう、と優しく微笑むのであった。

この映画で鍵となるのは二つの「巡礼の約束」である。一つはウォマの前夫との約束、もう一つはロルジェのノウルとの約束で、前者は巡礼をはじめる発端になり、後者はそれを続ける動機となった。そこにあるのは、一度誓ったならば必ず成し遂げねばならぬという言葉の重さであり、誰かと約束することによって、人はその人生を導かれていくものなのだろう。日本でも言霊《ことだま》といい、一度口にした言葉は必ず現実となると考えられているが、この映画において言葉は信仰と深く結びつき、現実を越えていくもののように見えた。早朝のウォマの供養や五体投地の歩みなど、ことあるごとに彼らは経文を唱えている。その無心の祈りの声は、映画を観た後もしばらく耳の中にこだましていた。

またこの映画では、前夫とウォマ、ウォマとロルジェ、ウォマとノウル、ノウルとロルジェという四つの関係が語られており、夫婦や母子の関係が交錯する中で、ノウルとロルジェは本当の父子になっていった。父親というものは、子どもの誕生とともになるものではない。子どもを育てることにおいてなるものだ。これは死者を想い、死者とともに巡礼する物語であると同時に、残された生者が新しい関係を築いていく物語でもあって、死者と生者の交感がこの映画の主題なのだと思う。

## 二　死者を思う

もう一つこの映画で鍵となるのは、ロルジェの前夫への嫉妬である。ノウルとの同居の拒否は、前夫の存在を否定する行為でもあり、早朝の供養が前夫のためのものであったことをウォマが話さなかったのは、おそらくロルジェの前夫に対するわだかまりを知っていたからだろう。そのような死者への嫉妬として脳裏に浮かんだのは、『遠野物語』第九九話である。その話でも、亡くなった妻のかつての恋人に対する嫉妬が語られている。以下概略を記す。

田の浜に住む福二は津波で妻と子を失い、生き残った二人の子どもと一緒に屋敷のあった場所に小屋掛けして暮していた。一年ほど過ぎたある夏の月夜、離れた所にある便所に行こうとして波打ち際の道を歩いていると、霧の中から男女二人が近寄ってきた。見るとそのうちの女は亡くなった自分の妻であったので、思わずそのあとをつけて行った。船越村へ行く崎で追いつき、名を呼ぶと妻は振り返ってにっこり笑った。連れの男は津波で死んだ同じ里の男で、自分と結婚する前に妻と噂があった。今はこの人と夫婦となっていると妻がいうので、子どもは可愛くはないのかと福二が尋ねると、妻は少し顔色をかえて泣いた。福二もまた死んでいる人がものを言うとは思われず、情けなくなって足元を見ていたのだが、その間に二人は足早に立ち去り、小浦へ行く道の山陰を廻って姿が見えなくなった。追いかけてみたものの、二人はすでに死んだ人であったと思い至り、福二は夜明けまで道中に立って考えた。朝になって家に帰り、その後しばらく煩ったという（『遠野物語』第九九話）。

ここで語られている津波とは、明治二十九（一八九六）年六月十五日に起きた三陸大津波のことである。二〇一一年の東日本大震災以来、この話は取り上げられることが多くなり、例えば『遠野物語　遭遇と鎮魂』（岩波書店、二〇一四年）という本の中で三浦佑之は、「妻に対して以前から抱いていた疑念や妬み、あるいは恨みというふうな男女間の感情だけで解釈することの不毛さ」をこの話は語っているとし、福二には妻の幽霊に出会って救われたという思いが心のどこかにあるはずだと指摘する。それを承けて赤坂憲雄は、これは残酷な「和解」であり、密かに妻を疑い続けてきた気持ちこそが福二を苦しめていたのであって、津波に流されたのが自分ではなく、かつての恋人であったことにすら嫉妬しているという。確かにこの話の中心には嫉妬があり、男への嫉妬と妻への想いが福二の心の中には同居している。三浦と赤坂に共通しているのは、妻の幽霊との出会いが福二の救いになっているという解釈であり、たとえその出会いが、かつて噂のあった男と二人で歩いている時という残酷な状況であったとしても、死者に会いたいという願いが叶えられ、福二は生きる活力を得たとしている。

それに対して袴田光康は『共振する異界　遠野物語と異類たち』（三弥井書店、二〇二〇年）の序章の中で、妻と子どもは可愛くないのかとまで妻に詰問した福二が、妻と「和解」を果たしたとは到底思われず、夜が明けるまで道に立ちすくんでいた福二は、男への嫉妬や妻への恨みに打ちひしがれたのであって、それは亡き妻に対する一種の「諦め」であり、そのような「決別」によってはじめて福二は新しい生活をはじめることが可能となる、と述べている。福二にとって亡き妻との出会いは「諦め」であり「決別」であったという袴田の解釈は、三浦や赤坂に比べ合理的で説得力がある。そもそも赤坂のいう「和解」の意味が、私にはわからない。

とはいえ、果たしてその再会が「諦め」や「決別」なのかと言われると、それもまた違うような気がする。「和解」ではなく「諦め」や「決別」だとしたとしても、所詮それは福二の側からの解釈に過ぎず、男目線である点では三浦や赤坂に同じである。物語とは生者によって語られるものであれば、生き残った福二の目線で語られるのは当然のことだとしても、亡くなった妻の視点がないのではないか。袴田も、夫との再会によって妻が鎮魂されるのではなく、再生を遂げた夫がこの不思議な一夜の体験を語った時、はじめて鎮魂されるとしているのだが、それもまた福二にとっての鎮魂であって妻の鎮魂ではない。そもそも鎮魂とは、何を以ていうのだろう。

実は、この第九九話と同じ話を、佐々木喜善はその自著『縁女綺聞』の中で語っており、そこではこのように語られている。

『遠野物語』にもその大筋は載っているが、ごく私の近い親類の人で、浜辺に行っている人があった。明治二十九年かの旧暦五月節句の晩の三陸海岸の大海嘯の時、妻子を失って、残った子女を相手に淋しい暮しをしていた。五月に大津浪があってその七月の新盆の夜のこと、何しろ思い出のまだ生新しい墓場(しかしこの女房の屍は、ついに見つからなかったので、仮葬式をしたのであった)からの帰りに、渚際を一人とぼとぼと歩いて来ると、向うから人がこっちへ歩いて来る影が朧月の薄光りで見える。しかもそれは、だんだんと男女の二人連れであるということが分った。それが向うからも来る。こっちも行く……で、ついにお互に体も摺れずれに交った時、見るとそれは津浪で死んだはずの自分の女房と、かねてから女房と噂のあった浜の男であった。その人の驚いたことは申すまでもなく、しかし唖然として二三歩行き過ぎたが、気を取り直して、振り返り、おいお前はたきの(女房の名前)じゃないかと声をかけると、女房はちょっと立ち止まって後《あと》を振り向き、じっと夫の顔を見詰めたが、そのまま何もいわずに俯向いた。その人はとみに悲しくなって何たら事だ。俺も子供等もお前が津浪で死んだものとばかり思って、こうして盆のお祭をしているのだのに、そして今はその男と一緒にいるのかと問うと、女房はまたかすかに俯首いて見せたと思うと、二三間前に歩いている男の方へ小走りに歩いて追いつき、そうしてまた肩を並べて、向うへとぼとぼと歩いて行った。その人もあまりのことに、それらを呼び止めることとさえ出来ず、ただ茫然と自失して二人の姿を見送っているうちに、二人はだんだんと遠ざかり、ついには渚を廻って小山の蔭の夜靄の中に見えなくなってしまった。それを見てから家に還って病みついたが、なかなかの大患であった。(後略)

先の第九九話とほぼ同じ内容であるが、ただ一つ、死者二人との出会いが新盆の夜の出来事になっており、夏のはじめの月夜に偶然妻と男の二人連れを目撃したという第九九話の語りとは異なっている。この違いに注目した永藤靖は、同じ話を取り上げた水野葉舟もまた、便所に起きて偶然に亡き妻と出会ったとしていることからすると、『遠野物語』の成立後に新盆という状況を喜善が加筆したと考えられ、そのような改変を施したのは、あまりにも美しく幻想的な『遠野物語』の語りに、喜善が違和感を抱いたからだとしている(『共振する異界　遠野物語と異類たち』)。喜善の心は、もっと生々しい現実世界とあの世との交わりを感じていて、現実が他界に侵されることを喜善は伝えたかったのであり、喜善にとってあの世はすぐ隣にあったというのである。

そうか、「和解」や「決別」に対する私の違和感は、「あの世」という視点が欠落していたことにあったのだと思った。妻との再会が、柳田のいうような夏の世の一晩の出来事だとすると、それは一回限りのものに過ぎず、死者との再開は偶然なされたものになる。たとえそれが妻への想いが溢れだした結果、福二が見た幻だとしても、非日常の出来事として日常からは切り離されてしまう。妻との再会が「諦め」や「決別」と解しうるのも、あの一夜が特別な時間であったという前提があるからだ。

しかしそれが新盆の晩の出来事であったとしたら、妻との再会は全く異なる意味を帯びはじめるだろう。新盆とはいえ盆の出来事となれば、それは一回限りのものではなく、毎年繰り返される「その日」に生者は死者との再会を果たすことになる。とすると、福二の妻もまたあの日を限りに忘れ去られたのではなく、むしろあの日に福二の心に強く刻まれたのではないか。しかも福二にとっては好ましくない、かつての恋人とあの世で夫婦になったと告げられるのだから、心の奥底に秘めていた疑いや哀しみも顕になった。それは、ロルジェがウォマから巡礼に出た理由を告げられた時、もっと正確に言えば、二人がともに亡くなったのなら幸せだと、寺の僧から声をかけられた時に同じである。亡き妻の告白は刺のように心に刺さったまま、癒えることなく疼き続ける。ロルジェはそれをウォマに代わり巡礼を成し遂げることによって、福二は盆ごとに妻との再会を語ることにおいて、昇華するしかない。

あの一夜の出来事は、美しくも哀しい思い出として凍結され、過去の出来事になっていくのではない。毎年繰り返し語られ再生されるものであり、その度に生者は死者を近くに感じるのである。実際、東日本大震災の津波で起きた悲劇の数々は、当事者の間では風化することなく、かえって喪失感は増しているではないか。あの津波を忘れてしまっているのは、無責任な部外者だけである。そう解釈するのは、その場に居合わせなかった者たちである。人々は痛みを感じながら、死者を想い続けている。

繰り返される死者との出会いによって生者もまた再生する、そのような「盆」の構造を考える時、この第九九話は本来死者に寄り添う物語であったことに気づかされる。柳田の美しい文語体の文章は、風土が沁みついた口語文の想いを排除してしまったのだ。

★

遠野地方では、盆になると軒先に灯籠木《とおろぎ》をあげる風習がある。灯籠木とは長い棒の先に白い布と提灯をつけたもので、その布には戒名が記されている。夜になると灯籠木の提灯に灯りがともされ、それが三年以内に身内を亡くした家の習わしである。旗のように棚引く灯籠木は死者が家に帰ってくる時の目印だといい、『遠野物語』の序文にも「盂蘭《うら》盆に新しき仏ある家は紅白の旗を高く揚げて魂を招く風あり」とある。附馬牛地区では盆の最後の日に鹿《しし》踊りが町内をねり歩き、灯籠木を揚げている家に立ち寄っては、その庭先で「位牌誉め」という踊りを奉納するらしい。亡き人の魂は故郷の鹿踊りに送られ、遠野の町を囲む山々へ帰っていくと信じられてきたのである。

その灯籠木の風習は、奇しくも万葉挽歌にうたわれる「木幡」に似ている。天智天皇の后、倭姫王が詠んだ巻二・一四八番歌で、「木幡」が風に揺れるさまが次のようにうたわれている。

青旗《あおはた》の木幡《こはた》の上を通《かよ》ふとは目には見れども直《ただ》に逢はぬ

かも（巻二・一四八）

青々と木々の繁る「木幡」のあたりを、天皇の魂が通っているのは目には見えるが、天皇ご自身に直接お会いすることはできない、と嘆いている。おそらくこの時、天皇は崩御したばかりで、身体から離れていこうとする魂を呼び戻すべく、木の上に幡を掲げて祭祀をしているのだろう。それが皇后に課された、大きな役割の一つでもあった。「木幡」に関しては、京都府宇治市北部の地名であるという説もあるのだが、地名と解したとしても、木の上では「青旗」のような幡が風に棚引いていることに変わりはない。その幡が風に揺られて動くたびに、天皇の魂が通っていることがわかるというのは、揺れる幡を目指して魂が帰ってくるという灯籠木の風習に等しい。高々と掲げた幡のあたりに亡き人の魂は風のように揺らめいていて、風が吹く度に、木々が揺れる音に、人々は死者の魂を身近に感じてきたのである。

私たちはかつてそのような日常があったことを忘れてしまっているけれど、閉塞感漂う現代、死者を想い寄り添う日々を取り戻す必要がある。「生きとし生けるすべてのものが幸せでありますように」という祈りの声は、孤独を癒す言葉として私たちの心にも響き続けるだろう。

〈エッセイ〉

# ジャック・マイヨールの自裁と「聖なる」感覚

伊藤龍哉

一個人の自由意志による死はしかし生への信仰告白なのである。

H・E・ノサック『ルキウス・エウリヌスの遺書』

白人たる者は「土民たち」の前でおじけづいてはならない。そして事実、概して白人は恐れたりはしないのである。

ジョージ・オーウェル「象を撃つ」

一

二〇〇一年十二月二十三日未明、ジャック・マイヨールがエルバ島の自宅で自ら命を絶ったとき、かれは七十四歳であった。世界的なヒットを記録した映画『グラン・ブルー』のモデルとしても知られる、伝説的なダイバーの死のニュースは、瞬く間に世界に配信された。死後六日たった二十八日、遺体は故人の遺言にしたがい、海を渡り、イタリア本島リヴォルノで荼毘に付された。葬儀はわずかばかりの人数で営まれた、と兄ピエール・マイヨールは伝えている。

その数少ない会葬者のなかに、ジャックの親友、成田均の姿があった。ジャックの訃報に接して、とるものもとりあえず、成田がエルバ島に駆け付けたのは二十七日午前のこと。そのときの様子を成田は次のように述懐する。

「この港町の病院の霊安室にジャックは寝かされていた。

世界のジャック・マイヨールが死んだのだから、多くの人が集まっているのだろうと思っていた。しかし、霊安室には、ジャックが遺言を託したマリーナさんと葬儀屋さん、そして私たち（註＝ジャック・マイヨールと親交のあった日本人四人）の計六人しかいなかった。

それにしても、親族も友人もひとりもいないことに、私は奇異な感じを覚えた。どんな事情があるにしろ、寂しすぎるではないか。五日間、マリーナさんがほとんどひとりでジャックの遺体に付き添っていたのだという。」

マリーナさんとは、ジャック・マイヨールの最後の二か月を家政婦として世話した女性である。

成田は目のまえに遭遇した痛ましい光景に、自殺という行為のキリスト教圏、とりわけカトリック文化圏におけるタブーを深刻に直感している。たしかに、自殺は生にたいする冒涜である、とはキリスト者ならずとも誰しも納得するところであろう。

またジャック・マイヨールの死の理由をめぐっては、その事実としての自殺には、晩年になって発症した鬱症状の進行が有力な理由に挙げられるようである。ピエール・マイヨール&パトリック・ムートン著『ジャック・マイヨール、イルカと海へ還る』に詳しい。

しかしわたしは、ジャック・マイヨールの生と死にたいする信念を映像や書物を通して知るにつれて、自殺は生にたいする冒涜である、とは必ずしもかれは考えなかったであろうと思うようになってきた。そしてまた事実としての自殺の理由はさもあらばあれ、ジャック・マイヨールの本質は、事実としての自殺を詮索することからは突き止められないだろう。かれはとても孤独の人であった。

そのころ——正確にはわたしのマイヨール観がまだはっきりとした形をなす以前のこと——神保町のバーに立野正裕さんとご一緒したときジャック・マイヨールの自死を話題にした。立野さんは、「伊藤君は、ジョージ・イーストマンの死をどう思う」と訊ねられた。立野さんの念頭には、ジョン・ドス・パソスの『USA再訪』のなかの一章「コダック男」が存したはずである。わたしが『USA再訪』を読んでいるかはともかく、「コダック男」すなわちイーストマン・コダック社製カメラおよびフィルムの創案者にして同社初代社長ジョージ・イーストマンの死を、大西巨人の長篇小説『三位一体の神話』を読むことで、伊藤は銘記したであろう・しているにちがいないと考えたはずであった。幸いにして、わたしは立野さんの言葉をすぐに得心した。大西作品の作中該当部分をすらすらと思い出すことができた。


老齢が、彼〔イーストマン〕の手に余ってきた。

彼は、とても孤独の人であった。

六年後〔一九三二年〕、七十八歳のとき、ロチェスターの自邸において、彼は、彼がすでに十分に長く生きたと決断し、例のごとく堅固にして端正な手蹟をもって短い書き置き――'To my friends:my work is done. Why wait?'〔「友人諸君よ。私の仕事は終わった。もはやためらう理由があろうか。」〕――を記してのち、みずから生命を絶った。

このとき立野さんは、「人がみずから生命を絶つことも――特殊的には（ある特殊な情況においては）――人生上の積極的・能動的な行き方であり得るのではないか」という、『三位一体の神話』でイーストマンの死にそくして提出された疑問を、マイヨールの死に際しても喚起させようとしたのであったろう。だから、その夜から少し経ったある日、『ジャック・マイヨール、イルカと海へ還る』の書き出しに接したときは、したたかに衝撃を与えられた。それは、「ジャック・マイヨールという人間を理解し、とりわけ、大方の謎となっている自殺の原因について考えていただくために」兄によって記されたのであった。

「私は具合がわるい、とてもわるい。いや、体じゃない。心が、精神が病んでいるんだ。今やっと、それに気づいた。私のなかで、何かが終わった。今まで、人生に飽きるなんてことはなかった。だが今は、何にも心ひかれない。何に対しても、興味がもてなくなってしまったんだよ……」（ジャック・ロンドンの自伝的小説『マーティン・イーデン』の、主人公の台詞）

わが弟ジャックは、二〇〇一年一二月二二日、七四歳で自らの命を絶った。その直前の心情を思うとき、必ずうかんでくるのが、この台詞である。弟はマーティン・イーデンを絶対視し、一生涯かけて、イーデンに自分をなぞらえようとしていた――物の見方も、考え方も、行動も。

『マーティン・イーデン』はマイヨール兄弟の思い出の一冊として、同時にジャックの座右の書であったと語られる。兄ピエールの回想を読む限り、この独立心に富んだ冒険の書と二人が出会ったのは、幼少期を過ごした上海であったと思われる。推測するにジャックの十歳前後のことであろうか。

「私のなかで、何かが終わった。」とはっきりと理解した人間が、「もはやためらう理由があろうか。」と落ち着いて自分に問いかけた結果、「自ら裁く」ことは、直ちに生にたいする冒涜といえるか。「自ら裁く」その人間は、そのときもはや生にたいする畏怖の念や謙虚さの感覚を失っているといえるだろうか。

## 二

わたしがジャック・マイヨールを知ったのは、龍村仁演出『地球交響曲《ガイアシンフォニー》第二番』の出演者としてであった。インタヴューに答える初老にさしかかったその男の、人が、その人の少年の日にしかもつことのできないような驚きと興奮に弾んだ眼《まなこ》は、イルカの神秘について語るこの男が、いままさに、はじめてイルカと遭遇した七歳の瞬間《とき》を生きていることを信ぜしめた。カリブ海に浮かぶ島サウス・ケイコスで、鮮やかな水色のセーターを着た白髪のマイヨールが、身振り手振りにイルカとの交歓を語る、その表情は、幼い男の子が、自分だけが手に入れたものを母親や兄弟に自慢するときのように純粋であけっぴろげだ。センス・オブ・ワンダー！　そのときマイヨールの魂ははるか昔日の七ツ釜の海に還り、七歳の肉体は自在に海を泳ぎ、水中に潜る。

　ＪＲ唐津線・筑肥線唐津駅から車を走らせること約三十分。玄界灘の荒波にさらされ断崖が侵食しついに七つの洞穴ができるにいたった場所がある。そこが七ツ釜である。巨大なものでは奥行きが一一〇メートル、断崖の反対側まで貫通している洞窟もある。何より透《す》んだ海の色に訪れた人は魅入られる。

　唐津は「虹の松原」で名高い景勝地でもある。唐津湾沿いに虹の弧のように連なる松林は四百年の歴史をもつ。ここは戦前、富裕な外国人の訪れる保養地として賑わいをみせた。建築技師を家長にもつマイヨール一家もまた富裕層に属した。毎年夏になると上海のフランス租界から唐津にやってきて休暇を過ごした。それは第二次世界大戦の直前になって父の故郷マルセイユへ引き揚げるまで続いた。一九二七年生まれのジャックは、まだほんの四つのときに虹の松原の浜辺で泳ぎをおぼえ、「七つの洞窟」で海女に素潜りを教わった。

　それから半世紀以上を経て、晩年にさしかかり、マイヨールは足しげく唐津を訪れるようになる。地元の人びとと親交を温め風物を懐かしんだ。海にも潜った。最後にひょっこりやってきたのは自裁を実行した年の七月であった。

　それはいつもさながら「聖地」再訪の趣をもった。虹の松原の浜沿いにのびる、白く細い砂利道を歩きながら、

「ここに遊歩道をつけることがあれば、ジャック・ロードと名付けてもよい。」そうマイヨール自身の語ったとき、その胸の内深くには「聖なる」感覚が鼓動していたのである。そしてその「聖なる」感覚が、ついにかれに自裁を決断させたとしても、わたしはそこに懸隔を感じない。

わたしはマイヨールの想起する「聖なる」出会いに、心を縫い込んでみる。

> 私がやっと七歳になった年、その年の唐津はとても思い出深い出来事があった。（中略）
>
> ある日、いつものように一日中潜っていた私は、カラフルな熱帯魚たちに夢中になっていた。すると、海の中で、何かが近づくのが見えた。
>
> 灰色の大きな影だ。私はそれがイルカだとわかった。一頭ではなく、何頭か群れになっているようだった。そのうち一頭が私に寄ってきた。大きな体だった。白っぽい口元から、濃い灰色をした額へなめらかな曲線が広がり、そのうしろにがっしりした肩と背びれが見えた。
>
> イルカは私を怖れるでもなく、親しげでもなく、ただ興味を示して近づいてきたようだった。水の中で、目と目が合った。イルカも私を見ていた。少し開いた口に鋭い白い歯が並んでいるのがみえた。
>
> しかし、私は恐怖よりも、ほとんど反射的に彼らのほうへ泳ぎだした。自分の小さな心臓が激しく鼓動するのがわかった。それは驚きと……感動だった。私はイルカに触ってみたくて仕方なかった。
>
> でも私が近づけば近づくほど、彼らは遠ざかった。どうしても一定の距離を保とうとしているようだ。
>
> そうして、イルカたちはすっと素早く去っていった。それは一隻のボートが近づいてきたためだった。私がボートに気付くより早く、イルカたちはそれに気付いていたのだ。
>
> 彼らは明らかに魚ではなかった。私は子供心にも、イルカは「仲間」だと思った。心が通い合い、興味を示し、好奇心で私に近づいてきたイルカ。不思議なことに、私の心は親愛の情でいっぱいになった。初めて出会って、こんなに懐かしい動物がいるだろうか。海の中でこんなに優しい動物がいたなんて。
>
> イルカは去ってしまったけれども、私は彼らとのかかわりが、まだこれから始まるような直感がした。本能的といってもいいくらいだった。ああ、またいつか会えるな、私はそう思っていたのである。

（ジャック・マイヨール『イルカと、海へ還る日』）

三

ところでジャック・マイヨールは閉息潜水（素潜り）をスポーツとして捉えるありかたにははっきりと反対の立場をとっていた。それは、人類史上はじめて百メートルの閉息潜水に成功した男、『グラン・ブルー』の男に似つかわしくないと思われるかもしれない。しかし、「諸君、本質をはきちがえるな！　閉息潜水は、断じて、競技ではない！」とは、紛れもなくかれ自身による発言である。

『グラン・ブルー』の成功は、当然起こりうることとして世界中の若者を海への情熱に駆り立てた。かれらはみなより深く潜ることだけを考えた。そこに恐れも驚きの感覚もなかった。事故が多発した。そして死者も。かれらが潜る、海とは何か、海に潜る自分ないし人間とは何者か、そういう「本質」は省みられることがなかった。

マイヨールは警告を発し続けた。「現代のダイバーたちの間違いは、陸上の動物としてのメンタリティーを持ったまま水中に行き、そこに植民地主義者の貪欲さと攻撃性を持ち込むことである。」「これでは陸上にいて、水族館のガラスをのぞいているのと何ら変わりがない。」マイヨールはその「間違い」を認め、「間違い」をめぐって葛藤し、その葛藤を手放さずに苦しむことのできる人であった。

一九五七年、三十歳になったマイヨールはマイアミ水族館でイルカの調教師として働いていた。このごろのかれの悩みは、自分がイルカの調教師であることに根ざしていた。「調教師は自分の意思をイルカに押しつけなければならない。イルカたちが言うことを聞いて、初めて仕事ができたことになるからである。屈伏があるところには屈辱がある。利用（搾取）と利益が生まれるところは、調和のとれた関係は破壊される。」

ここでいう「自分の意思」とは、調教師一個の意思ではない。マイヨールのいうところの、陸上の動物としてのメンタリティーを持った、植民地主義者の貪欲さと攻撃性に関わるものとして受け取るべきである。つまり水族館のガラスをのぞかせ、あるいはショーを見せることによって利益をえる者の「意思」が調教師としての「自分の意思」なのであり、それは必然的にイルカを利用（搾取）することを強制する。自分はイルカを屈伏させる側にあり、イルカは屈伏させられる側にある。

たまりかねたマイヨールは、ある日教えを乞うことに決めた。誰に？　マイアミ水族館の優雅な女王、イルカのクラウンに。

その日、海水パンツをはき、フィンとスノーケル、それに小さなマスクを身につけて、冷たい水槽に静かに体をすべりこませた。それはこの日のかれが調教師としてではなしにクラウンの領域に入っていくことを意味した。「イルカやその他の生き物たちが暮らしている主水槽に、水着で潜水することは規則で禁じられていた。それは、経営者の論理の一部である。」とマイヨールは書いている。

　水中で私はクラウンを見つめ、クラウンは私を見つめた。私は再び天啓的な体の震えを感じた。私はクラウンの世界へ入ったのだ。そして、クラウンは私に近づき、水の中をついてくるようにと合図した。

　クラウンは、私がイルカの調教師としてではなく、私自身として訪れたことを誇りに思っているようだった。三〇秒ほどで、我々はいっしょに水面に浮上し、共に息をすると再び潜った。彼女の領域を二～三周した後、背びれにしがみつこうとしてみた。しかし、彼女は体を触らせようとしなかった。

　この水槽のイルカたちは、なぜかはわからないが、我々がゴムの大きな手袋をつけているときだけ、体をなでさせた。そこで私は、急いで上がって手袋をつけたが、驚いたことに、彼女の反応は同じだった。彼女に触れることは不可能だったのだ！

　彼女にとっての手袋は「仕事の制服」の一部なのかもしれない。しかし、今日は、我々の関係はいつもと違うのだ。とにかく彼女がどんな理由でこのように反応するのであれ、彼女を尊重していることを示そうとしてみた。

　私は手袋を取って水中に戻り、彼女と少し距離をおくことにした。私ははっきりした理由はなく、ただそうすべきだと感じたのである。

（ジャック・マイヨール『イルカと、海へ還る日』）

この日から何週間にもわたりクラウンとマイヨールは対話を続けた。クラウンは、大きく息を吸い込まなくても呼吸のたびに少しずつ息を長く止めていく方法や、水の流れに身をまかせる方法や、力まずしなやかに、節約しつつ効率的に動く方法を教えた。マイヨールは、クラウンから、注意を怠ることのない姿を、水の中で自由にふるまう姿を、そして心の中で笑うことも学んだ。

それはただにマイヨールに閉息潜水の技術の基礎を授けただけではない。「現代のダイバーたち」とは対蹠的な閉息潜水の哲学を築かせることになった。その基《もとい》は畏敬と謙虚さである。センス・オブ・ワンダーである。はじめてイルカと出会った日、小さな心臓に宿った激しい鼓動は、イルカに触ってみたくて仕方のなかったあの感動は、マイヨール青年をして、手袋を外して水中に戻り、今度はクラウンと少し距離をおくことにさせたのであった。

　それからほどなくしてマイヨールは調教師の職を辞しマイアミ水族館を去ることになる。

## 四

　その後のジャック・マイヨールの輝かしい来歴は――閉息潜水の王者として、『グラン・ブルー』のモデルとして――巷間に知られているとおりである。マイヨールは還暦を過ぎてますます意気軒昂であった。

　しかし人には誰しも衰えが訪れる。その究極の地点が死である。それは避けることができない。座して待つのみである。そのような「自然な」あるいは「自明の」考えにマイヨールは承服することができなかった。

　あの日神保町で、立野さんはイーストマンの死をわたしに示した。それは、「人がみずから生命を絶つことも――特殊的には（ある特殊な情況においては）――人生上の積極的・能動的な行き方であり得るのではないか」という難問を示したにほかならない。

　このことをめぐり大西巨人は、イーストマンとは別の人物の生き方を通して、問題を一歩おしすすめようと試みている。それはイタリアの現代作家チェーザレ・パヴェーゼの日記に読まれるという。

> 　死は、平凡な諸原因から必然的に発生する。死は、不可避であり、人間の全生涯は、死という〝雨滴《あまだれ》の落下のように自然な〟出来事のための準備である、――そんな考えに、私は、どうしても承伏することができない。なぜ、死の発生を受動的に待っていずに、人間の選択権を主張し多少の意義をそれに付与するべく各自の自由意思による死を求めないのか。なぜ、そうしないのか。
>
> 　理由は、こうである。人間は、もう一日・もう一時間、生き長らえることがまた各自の選択権の自由を主張する機会となるかもしれない（死を求めたら、そういう機会を失うであろう）と感じ（希望し）て、決断を常に先へ延ばす。つまり人間各自は、――私は、他人事としてではなしに言うが、――時間はたっぷりある、と考える。かくて自然死の日が訪れ、

とうとう各自は、人生において最も重要な行ないを明確な理由で為し遂げるべき偉大な機会に手が届かなかったのである。

現在が過ぎてしまえば、これからあとも過ぎてしまう。一九九四年冬、グランド・バハマ島沖で、マイヨールは、ビミニとストライプと呼ばれる二頭のイルカとともに、かれらの背びれにつかまり潜る経験をした。それはイルカと一体になって海に還るまたとない機会、歓びであった。六十メートルまで潜水するつもりでいた。だが結局四十五メートルが最深であった。このときマイヨールは、「私は六七歳だ。歳を考えれば、まあわるくない記録じゃないのかな」と、冗談めかして言ったそうである。

それから数か月後ふたたび島に戻ってみると、ビミニとストライプは、このままよりももっと奥深くまで潜りたがった。このとき、「私のなかで、何かが終わった。」そうかれは予感しなかっただろうか。ある「入口」に立たされたことを知る者のみが帯びる恐れと慎みをもって。

ジャック・マイヨールの自裁は、それから七年の後のことである。

〈エッセイ〉

# 人間よ、人間の魂よ

## ――メルヴィル作「バートルビィ」再読

竹地冬和

ハーマン・メルヴィル作中編小説「バートルビィ」を読んだわたしの友人が手紙に感想を書いてきた。

「人生の暗い部分を見続けてきた繊細なバートルビィの心、そしてかれの悲しみ、孤独を理解することができた」と友人は書いている。わたしも同感を禁じ得ないが、バートルビィの孤独をわたしが真に理解し得たと言えるかどうかは心もとない。それでも友人が続けて次のように述べているくだりは躊躇なく同意し同感した。

「来る日も来る日も、宛先不明のいわゆるデッドレターを読まされ続けたバートルビィ。封を切り、中身に目を通すたびに、かれは人生のあらゆる不条理をまのあたりにする思いを味わったのでしょう。」

わたしもそう思う。確かに主人公は人生の無情と悲惨に対して同情だけでなく、いたたまれない気持ちをさんざん味わったにちがいない。やがてそれが高じて生来繊細だったその魂そのものまでも、まるでわがことのように失意と落胆を強いられることになったのだ。

毎日配達されなかった不幸な手紙を読み続けるという仕事は、一室に座したままでありながら、ある意味では遍歴のようなものだったろう。さまざまな場所から書き送られる手紙のすべてに自らの魂を揺り動かされずにいない人間は、ひとところにいながらも、魂を発信者のもとへそのつど運ばずにはいられないのである。

したがって、手紙を読み続けることそれ自体が遍歴である。だが、なんという遍歴だったろう。まるでダンテの地獄めぐりの物語を読むように、人間という存在の悲惨をつぶさに見せられるようなものだったにちがいない。

そういう遍歴を繰り返すうちに、五体は市民社会に生活しているとは言いながら、その胸のうちを人々からはけっして理解されず、好意的に扱われることもない孤独を蔵した一人の人間が作り出されるにいたった。そのバートルビィの孤独の独特さは、弁護士事務所ではたらく他の書記たちの特異さとは類を異にしていた。かれらのなかにも変わり者が少なくなかったとはいえ、バートルビィの変わりようとは似て非なるものと言わなくてはならなかった。なぜなら、筆舌に尽くしがたい不幸と悲惨を経験した人間のまなざしが、そのままバートルビィの目や表情にも宿ってしまったからだ。

わたしがことに心を打たれずにいられないのも、バートルビィのそのまなざしなのであった。かれは回想を封印するていの追憶的なまなざしの持ち主であったと叙述されている。回想を封印してしまうようなまなざし。それはいったいどういうまなざしであろう。たとえば愛する者を戦禍によって無惨にも殺されてしまった人々の目がそうであろうか。人類の歴史始まって以来、この世は喜びや幸福よりも悲惨や不幸のほうがはるかに多いと言っても過言ではなかろう。とすれば、バートルビィのような特異な繊細さを魂に持った人間が何人か存在しても不思議とは言えないであろう。そういうまなざしを持った人々はわれわれの目につかないように生きているので、われわれは気がつかないのかもしれないのだ。

地獄めぐりを余儀なくされた人間には、その後の日常生活のあらゆるものが、もはや全然無価値としか思われまい。なかんずく膨大な量の書類を清書するというだけの仕事に、なにか価値を見いだすことなどもはや出来るはずもないであろう。自分の仕事に価値などないことが、バートルビィの目には徹底的に明白になっているのだ。

「せっかくですが、ごめんこうむりましょう。」

それが、雇用者である弁護士がなにかを頼もうとして、書記バートルビィの口から発せられる応答の決まり文句である。日常生活のあらゆる無意味な些事に対して、われわれがそのようにさりげなく、しかも断固として言ってのけられたなら、どんなにいいであろうか。しかしもっといいことは、物語のなかに登場する弁護士に代表されるような善良な人々に与することを、きっぱりと拒否するだけの勇気と潔さをわが精神にそなえることであろう。

善良さと寛大さをそなえ、「温厚篤実」に生きてきた弁護士は、バートルビィの体現する真理にまるで頓着しない。弁護士にとって、雇っている書記たちは多かれ少なかれ変わり者ばかりである。その一人がバートルビィであるというにすぎない。仕事をやってくれさえしたら雇うだけの価値があるということだ。バートルビィの魂がどうであろうとどうでもいいことである。

この弁護士にとって、いわゆる善良さと寛大さと温厚篤実さとが、この世を太平無事にわたってゆく最大の徳である。この世のものごとの半面をなしているものが悲惨や不幸であるとしても、それを埋め合わせることは出来ないまでも、相対化することが善良さや寛大さによって可能になる。現代に生きているわれわれのほとんどが、多かれ少なかれこの弁護士のように、人間の悲惨や不幸の実態に対して善意の黙殺者としてふるまっている。

あえて黙殺などとどぎつい表現を用いるからにはなにがしかの説明を要するだろう。黙殺とはたんにものごとの半面の真実を知らないことを意味するのではない。弁護士のように知識人でありながら、真実を積極的に知ろうとせず、知ろうとも思わない。そういう自分に安住しながら、なおも自らを善意の人であるとみなし続けることと、それが黙殺の意味するところである。弁護士にくらべれば、バートルビィは知識人とは言えない。それどころかあらゆる意味で無力な存在である。しかしかれは自己への安住を拒否し抜くだけの魂を持った人間だった。職務怠慢ないし職務不履行のかどで刑務所に入れられて死ぬまでその魂を失わなかった。こうしてバートルビィは自分の無力さを、かれの魂によってあがなった。

一つの事実がわたしに想起される。第二次大戦下のオランダで、罪なき人質を銃殺することをドイツ軍が決めた。銃殺隊が組織された。処刑に際して発砲を拒んだ一人の兵士がいた。命令不履行つまり反逆罪を言い渡され、人質の側に立たされて自らも銃殺されることに甘んじた。この挿話の紹介者は書いている。

「たった一つの行動で兵士は集団が保証する安全をきっぱりと捨て、自由が究極的に要求するものに身をさらした。のるかそるかという瞬間に良心の声に応え、もはや外部の命令に動じることはなかった。」

そういう兵士がドイツ軍に存在したことは、一つの美談たりうるであろう。だがよく考えてみれば、美談にとどまらないなにかがこの事実に暗示されている。それは、銃殺された一人の兵士をとおして、人間の魂の深奥には不滅のなにものかが実在する、ということが証し立てられたことである。「バートルビィ」の作者ならばこの兵士に向かって、バートルビィに向かって呼びかけたのと同じように、ああ、人間よ、人間の魂よ、と呼びかけたことであろう。そんな想像とともに、わたしはメルヴィルのこの小説を何年ぶりかで読み返したのだった。

## 《Reclam》
# 『私の上に降る雪は』（講談社文芸文庫）
中原フク述　村上護編

死児をおもう母親の心が歴史事実に関する根本の技術だと言ったのは、中原中也と「悪縁」で結ばれた小林秀雄であったが、満三〇で早世したわが子中也をおもう母フクさんの遥けき回想もまた、この詩人の詩の魂と深いところで巡り会っている。村上護氏に中也との思い出を語る母堂は、このとき九四歳であった。

「そうでなくとも、中也は早熟児でしたから、あれはようなかったと思っております。」中也の小学校に教育実習に来ていた師範の生徒に度々寄宿舎に連れられ、息子が文学を知り初《そ》めたころを、母は悔いる。「中也は文学にこってばっかりおって、学校のほうを粗末にしております。あなたのように理科に入らせたい」と家庭教師に頼んだとき、息子は中学二年になっていた。「肝やき息子」はことごとく母の期待に背いた。上京してからも、「自分の詩を印刷したうすいものを送ってくれました。（中略）私は私で、『切手代がいるのに、そんな詩なんか送らにゃあええのに』というておりました。」

中也が死んで三十年、今では日に五〇人ものファンが遠路を訪ねてくる。それでも母が大切に手元に置いたのは息子の詩ではなかった。息子の筆跡のみえる般若心経であった。「あら、あの子はこんなことを書きこんでおる」と懐かしみ倦きることがなかった。

中也の詩碑が井上公園（旧井上馨邸）に建てられたのは昭和四十年のこと。「これが私の故里《ふるさと》だ／さやかに風も吹いてゐる／あゝ、おまへはなにをして来たのだと……／吹き来る風が私に云ふ」。この文句を口ずさむと悲しくなることがありますとフクさんは語る。「中也はたいした人間にもようならず、自分でもつまらない人生を送っているという気持があって、ああいうのを詠んだんでしょう。」母はついに息子の詩を読むことをしなかったが、母親の情愛は息子の詩の最も深くに秘められた悲しみに触れている。秘められた悲しみとは何か。中也は詩人としての出発に際し書いている。「私とは、つまり、そのなるにはなつちまつたことを、決して咎めはしない悲嘆者なんだ。」

人は、実に、出来得るならば、詩人になどなるべきではない。

（T・I）

〈エッセイ〉

# 法は何のためにあるのか

## ――シーラッハ『コリーニ事件』

山本恵美子

おそらく半日ほどで読み終えたのだったろう。簡潔で抑制された語りとスピード感のあるプロットで、読む者を引き込んでいく作品だ。

作者のシーラッハは刑事事件の弁護士であり、数百を超す事件を経験している。本作はタイトルどおり、犯罪をテーマにした小説だ。しかし、殺人事件の巧妙なトリックの謎解きや、真犯人を見つける類の推理小説ではない。物語は被害者が殺害される場面から始まるのであり、犯人は初めから読者に明かされている。「真犯人はほかにいるのでは？」といった疑いを挟む余地のない客観的事実として、犯行の場面は叙述されているのだ。本作における謎は犯人ではなく犯行の動機である。

殺害されたのはドイツでも有数の富豪で大企業の元代表取締役であるハンス・マイヤー、八十五歳。殺害犯はイタリア人のファブリツィオ・コリーニ、六十七歳。殺害方法は、背後から頭部に四発の銃弾を撃ち込み、骨が砕けるまで頭部を踏みつけるという残虐なものだった。そしてコリーニの国選弁護人となるのが、新米の弁護士カスパー・ライネンである。

さっそくライネンはコリーニと接見するが、コリーニは「弁護は必要ない」と言うなど、ライネンを受け付けない態度をみせる。弁護は難航しそうな予感だ。しかしそれだけではない。まだ実績のない新米弁護士ゆえに二つ返事で受けた案件だったが、ライネンはそのことをすぐに後悔することになる。殺された被害者というのが、少年時代、家族同然の付き合いをしていた親友の祖父であることに気づくからだ（ちなみに親友は両親とともに事故に遭い夭逝している）。

ライネンは弁護を降りようといったんは考えるのだが、逡巡のうえ、このままコリーニを弁護し真実を語らせることが自分のできるすべてだと、腹をくくる。ライネンはおそらく、親友の祖父を殺したコリーニへの怒りを覚えながらも、コリーニの犯行の理由には単純ではない何かがあることを感じているのだ。

コリーニは犯行後、自ら通報して逮捕されている。当然、はじめから犯行を認めているが、動機についてはいいたくない」と黙秘し続けている。ライネンがマイヤー家と自分との関係を告げ、そういう人物に弁護されるのは嫌かとコリーニに尋ねたときも、コリーニは首を振り、「あいつは死んだ。これ以上なんの興味もない」とだけ答えている。終身刑でかまわない、量刑を軽くすることにも興味がないという様子だ（ドイツでは死刑が廃止されているため、殺人罪で最も重い刑は終身刑である）。もう話すことはないという態度でコリーニは接見室を出ていってしまう。

しかしこのあと意外な行動を見せる。コリーニは廊下で急に立ち止まり、一分近く自分の靴先を見つめたあと接見室に引き返し、「あんたには大変な裁判だと思う。申し訳ない。ちょっと礼をいいたかった」とライネンに告げるのだ。コリーニが残虐にハンス・マイヤーを殺害したのは事実だが、彼を極悪人ないしは人非人とみなすことが正しいとも容易には判断できない。

ライネンはハンス・マイヤーの屋敷を訪れマイヤーとコリーニを結びつける手がかりを探したりするが、結局何も得られないまま公判が始まる。ライネンは裁判に負ける覚悟をした。しかし、そのとき、何百回と読み込んできた書類の中でふと、凶器の拳銃はワルサーP38であることが目にとまった。「ワルサーなら知っている」。翌日、ライネンは朝からどこかの公的施設に出かけ、数日間、一心に何かを調べる。そして、膨大な資料の中からある事実に辿り着いたようである。

シーラッハの文体は過剰な説明をしない。ライネンは凶器がワルサーP38であることからどんなヒントを得たというのか？　わたしはまったくピンと来なかった。しかし、調べてみると、ワルサーP38は第二次大戦中、ドイツ軍の正式銃として使用されていた拳銃であることがすぐにわかった。

現在は入手困難なワルサーP38を凶器に使用しているからには、その銃に意味があるに違いなく、マイヤーの殺害にはナチスが関係していることが推測される――ということだったのだ。このあたりを一つ一つ説明しない潔さが、物語の緊張感を生み出すことにもつながっているのだろう。

公判七回目。掴んだ事実をもとにライネンが反証を行う。少年コリーニを襲ったおぞましい出来事が明らかになる。目の前で姉がドイツ兵に襲われ無残な死に方をし、パルチザンであった父親も不合理に処刑された。処刑の命令を下したのは、親衛隊大隊指導者のハンス・マイヤーその人であった。

裁判で論争が展開するのは、ハンス・マイヤーに罪はあったかということだ。ハンス・マイヤーはほかならぬコリーニの告発により、一九六八年から六九年にかけて検察局により捜査されている。しかし訴訟手続きは打ち切られた。一九六八年に発布されたある法律によって、合法的に無罪放免となったからである。どういうことかというと、その法律の規定では、誅殺犯となるのはナチの最高指導部の一部の人間に限られ、ほかの多くの者は誅殺の幇助者と見なされた。その結果、誅殺幇助者は誅殺犯として裁けず、故殺犯としてしか裁けなくなった。そして、故殺の時効が十五年であることから、彼らは無罪となったのである。ハンス・マイヤーはそうした一人であった。

コリーニは法に則りマイヤーの罪が裁かれることを期待して告発したはずだ。しかしその期待は見事に裏切られた。彼は法の正義を疑い、失望したことだろう。やがて、自ら復讐するしかないと考えたに違いない。

ハンス・マイヤーを無罪にした法律の落とし穴の暴露は、法の正義について重要な投げかけを行っている。しかしこの作品でさらに注目すべきは、ライネンとコリーニの逆転勝利で終わらない点だ。ライネンの見事な反証で、多くの読者は正義の勝利にカタルシスを感じるのではないだろうか。少なくともわたしはそうだった。しかし、作者はカタルシスのまま終わらせてはくれない。

翌日、裁判所で開廷を待つライネンに、コリーニの自殺が唐突に告げられるのだ。ライネンも驚いたろうが、わたしもまったく予想していなかった。コリーニはなぜ自殺しなければならなかったのか?

そこでもう一度わたしは冒頭の殺人の場面にかえった。コリーニが放った四発の銃弾はハンス・マイヤーの後頭部を撃ち抜いた。顔は半分、吹き飛ばされた。死体を見つめていたコリーニは、明らかに相手が死亡しているにもかかわらず、突然、「死者の顔を靴のかかとで踏みつけ、じっと見つめた。それからまた踏みつけた。そのうちやめられなくなり、何度も、何度も踏みつづけた」。

なんという執拗さであろう。司法解剖にあたった法医学者が踏みつけた回数を割り出すことができないほど、頬骨も顎骨も鼻骨も頭蓋骨も、砕けていた。

裁判では、ハンス・マイヤーが命令した処刑は残酷であったかという点も議論される。囚人は殺されるのをわかった状態で輸送の一時間超を過ごし、処刑時には目隠しをされておらず、先に処刑される者が撃たれて穴に落ちるのを見ていた。死の恐怖を味わうには十分すぎるほどの状況であった。

自身も死刑判決を受け、銃殺刑が下される間際に恩赦が告げられたという経験をもつドストエフスキーは、『白痴』の中で死刑の残酷さを語っている。あと一時間で、あと数分で、あと数十秒で自分は死ぬのだと確実に知っているということに、肉体的苦痛を上回る精神的苦痛があるのだと。

残虐な処刑の場面を読んだあとのわたしは、物語の冒頭で読んだハンス・マイヤーの殺害場面のことが頭からすっかり離れていたといえる。しかし読者は思い出さなければならないのだ。ハンス・マイヤーらによるパルチザンの処刑が残虐であるのと同じように、コリーニの殺人もやはり残虐であるということに。

コリーニ自身は、自分の行為の残虐さから目を背けなかった。殺害の自供の場面で、コリーニは死体の写真を一枚一枚じっくりと時間をかけて凝視し、まるで目に焼き付けるようにするのだ。さらにいえば、パルチザンの処刑はナチスへのテロに対する報復の意味をもっていたが、コリーニの殺人も復讐の意味においてなされたものにほかならない。処刑はテロの犠牲となった兵士一人に対して、パルチザン十人という報復の割合で行われた。コリーニは執拗に死体を痛めつけた。いずれも「目には目を、歯には歯を」の同害報復の律をも超えた、過剰な暴力である。

『コリーニ事件』が描くのは、暴力の連鎖を断ち切るべき法が機能しなかった、ゆえに暴力は繰り返された、という悲劇である。そして最後には、暴力を行使した本人が自身に対して暴力を行使することで、その連鎖が断ち切られる。何のために法はあるのか？　このことを本作は強く問いかける。法の存在理由にはさまざまな答えがあるだろうが、わたしは本作を通じて、法とは非暴力の実現のために存在するのだということを——それは法を学ぶ人からすれば当たり前のことなのかもしれないが——鮮烈に理解した。

見事な逆転劇を演じたあと、ライネンは原告側の弁護士との会話のなかで次のように話す。「ハンス・マイヤーがしたことは、客観的に見ていつの時代でも残虐なことです。一九五〇年代、六〇年代の裁判官なら、彼に無罪を言い渡したかもしれません。（中略）現在の裁判官がそういう判断をしなくなったなら、それはわたしたちが進歩したということでしょう」。法は人間がつくるものである以上、完全ではあり得ない。

　祖父の過去を知ったハンス・マイヤーの孫娘ヨハナは、「わたし、すべてを背負っていかないといけないのかしら？」とライネンに問う。この問いは重い。ライネンもヨハナも確かに大きな傷を負った。しかし、コリーニは一人で何十年と背負い続けてきたのだ。

　事実がいかに残酷であっても、それを人は知らなければならない。暴力から目を背けてはならない。暴露されないほうが傷つかずに済み幸せだと考えるのは、一方的でしかない。残酷な事実の暴露には、すでにその事実を負い人生を狂わされた存在がいるからだ。それが死者であれ、生者であれ。残酷な現実、すなわち人間の暴力性と向き合うことが社会を変え、法をよりよく変えることにつながると信じればこそ、シーラッハはこの作品を書いたのではないだろうか。

　ヨハナの問いにライネンは、「きみはきみにふさわしく生きればいいのさ」と答える。思えばライネンがコリーニの弁護を降りなかったのも、弁護士としてふさわしくあろうとしたからだ。

　ドイツでは一般市民から選ばれた参審員が裁判を行う参審制が採用されている。日本でも刑事裁判で裁判員制度が始まり、はや十年を超えた。自分が一般市民としてふさわしくあろうとするならば、人間の暴力性から目を背けず、考え続けていくほかないと、わたしは思うのである。

（『コリーニ事件』フェルディナント・フォン・シーラッハ著、酒寄進一訳、創元推理文庫、二〇一七年）

〈万葉のうた〉

# 「いへ」と「やど」

堂野前彰子

## 一　異空間を繋ぐ「やど」

現代では「やど」と言えば旅先で宿泊する「やどり」のことであるが、万葉の時代、その多くは庭の意であった。『万葉集』には「やど」を詠んだ歌が、全部で百二十首ある。

そもそも『万葉集』には、庭を意味する言葉として「には」「その」「しま」「やど」の四つがあり、その言葉の原義はそれぞれ異なっている。「には」は「祭の庭」という表現があるように「聖なる場」の意であり、「その」は植物園や動物園の「園」に同じで、植物を植えたり、珍しい禽獣を飼ったりするための空間を指していた。

三番目の「しま」は、「島」すなわち庭の池に浮かぶ中島から転じて庭の意となった。やがてその「しま」は、山荘の意である「山斎」の翻訳語となったものの、その漢字表記が用いられたのはもっぱら『懐風藻』であり、歌の表現として「山斎」は定着しなかったらしい。用例の大半が草壁皇子《くさかべのみこ》のすまいである「島の宮」を指しており、「しま」とはそれなりの規模のある庭園で、そこには池があったと考えられている。

それに対し「やど」は建物に付随した空間のことであり、「いけ」とともに詠まれた歌がないことからすると、おそらくそれは池のない小さな庭であった。いくつかある万葉仮名表記の中で「屋戸」の表記が五十四例と最も多いことからすると、「やど」とは本来建物の入り口を指す言葉であった。額田王《ぬかたのおおきみ》の詠んだ「君待つと我《あ》が恋ひ居《を》れば我が屋戸の簾《すだれ》動かし秋の風吹く」（巻四・四八八）という歌では、簾が動いたので天皇が訪れたと錯覚していて、「やど」が恋人の訪れを感じる場所であったことは、次の歌からもわかるだろう。

夕さらば屋戸《やど》開《あ》け設《ま》けて我《あ》れ待《ま》たむ夢《いめ》に相見《あひみ》に来《こ》むといふ人《ひと》を　（巻四・七四四）
（夕方になったら家の戸をあけて待ちましょう。夢で逢いに来ようと言ったその人を。）

人の見て言《こと》とがめせぬ夢《いめ》に我れ今夜《こよひ》至らむ屋戸閉《さ》すなゆめ　（巻十二・二九一二）
（人が見ても咎め立てしない夢の中で、私は今夜通って行きましょう。だから家の戸を閉ざさないで。）

この二首の歌で興味深いのは、この「やど」が現実の戸のみを指しているわけではないことである。夢での約束を信じて戸を開けて待っているというのも、その反対に、夢の中で通っていくから決して戸を閉めないで欲しいというのも、現実の戸が夢の入口になっているからで、その時「やど」は異なる二つの世界を繋ぐ通路であった。例えば『古事記』の黄泉国訪問譚でイザナキがイザナミに離別を言い渡す場面では、「戸」ならぬ「石《いわ》」が登場する。

最後《いやはて》にその妹伊邪那美命《いもいざなみのみこと》、身自《みづか》ら追ひ来たりき。ここに千引《ちびき》の石《いは》をその黄泉比良坂《よもつひらさか》に引き塞《さ》へて、その石《いは》を中に置きて、各《おのおの》対《むか》ひ立ちて、事戸《ことど》を度《わた》す時、伊邪那美命言ひしく…（後略）

恥じを見せたと言って追いかけてきたイザナミに対して、イザナキは黄泉国との境に「千引岩」を引き据え遮った。千人でようやく動かすことのできる「千引岩」は、まさに二つの世界を隔てる「戸」にあたる。ここではその離別の言葉が「事戸」と表現されており、『日本書紀』に「絶妻之事《ことど》建《わた》す」とあることからすると、それは妻と絶縁する意であった。一般的に「コト」は「別天つ神」などの「別」、「ド」は祝詞などの「ト」で呪言の意だとされているが、漢字そのままの意を解して、「コト」は事柄、「戸」は隔てるものと考えるべきではないか。「戸」を用いているのは、この言葉が二人の間を隔てるものであったからであり、「事戸」という用字には「言葉による境界」が表現されているのだろう。

とすると、先に挙げた歌でも、夢の中の訪れを現実の戸口が阻止してしまうということは、「戸」が持つ本来の機能である。しかし、それは裏を返せば、戸を境にして夢と現実が繋がっているということであり、この歌において「やど」は二つの空間を隔てるものではなく繋ぐものであった。万葉人にとって夢は「もう一つの現実」であり、「やど」を接点として現実と異空間は続いていたのである。

## 二　籠りの空間

では、戸口の意であった「やど」は、どのようにして庭の意になったのだろう。一般的に男が女の元を訪れ求婚する妻問いは、「やど」で行われていた。それは「やど」が戸口の意であるからだが、それ以上に深い意味が「やど」にはあった。例えば、大伴家持《おおとものやかもち》と紀女郎《きのいらつめ》の贈答歌の中に、次のような歌がある。

我妹子《わぎもこ》が屋戸《やど》の籬《まがき》を見《み》に行《ゆ》かばけだし門《かど》より帰《かへ》してむかも　（巻四・七七七）
（あなたの家の垣根を見に行ったならば、門のところで帰されることとでしょうね。）

実はこの直前に収められた七七六番歌では、なかなかやって来ない家持を紀女郎が責めている。すなわちこの家持の歌は、男の不誠実をなじった前歌に対してのものであり、「やど」にある籬を見に行くというのは、恋人に逢うための口実に過ぎない。その籬のある「やど」は、この歌の状況からすると「門」より中にある空間で、外部から遮断された家の内部にあった。そのような「門」との対比でうたわれた「やど」は、巻六・一〇一三番歌にも「あらかじめ君来まさむと知らませば門《かど》に屋戸にも玉敷かましを」とあり、貴人の訪れに備えて「屋戸」に玉を敷いておくべきだったとうたわれている。「門」の内側の空間は、祭祀を行う場でもあったらしい。次に挙げる、石田王《いはたのおほきみ》が亡くなった時の丹生王《にふのおほきみ》の挽歌では、「屋戸」に神々を祭祀する祭壇「みもろ」が立てられている。

…夕占問《ゆふけと》ひ　石占《いしうら》もちて　我が屋戸に　みもろを立て
て　枕辺《まくらへ》に　斎瓮《いはひへ》を据《す》ゑ　竹玉《たかたま》を　間《ま》なく貫《ぬ》き垂れ
木綿《ゆふ》たすき　かひなに懸《か》けて　天《あめ》なる　ささらの小野《をの》
の　七節菅《ななふすげ》　手に取り持ちて　ひさかたの　天《あま》の川原《かはら》
に　出《い》で立ちて　みそぎてましを　高山の　巌《いはほ》の上に
いませつるかも　（巻三・四二〇）

（…夕占や石占をして、我が家には祭壇を設け、枕辺には斎瓮を据えつけ、竹玉をびっしりと貫き垂らし、木綿たすきを腕にかけて神に無事を祈るべきだったのに、天上にあるささらの小野の七節管を手に取り持って、天の川原に出かけて禊をして禍を祓うべきだったのに、高い山奥の巌の上にお祀りしてしまった。）

「みもろ」を立て「斎瓮」を据えて行う祭祀は、一般的には旅立ちに際して行われるものであるが、ここでは「死」を旅路に擬えて、無事に帰ってくることを祈るべきだったと嘆いている。死者の魂を繋ぎとめる祭祀は、「屋戸」のような境界的な場で行われるものであり、「やど」には聖なる空間としての機能もあったのだ。とすれば、次の歌の「やど」もまた、聖なる空間をいうのだろう。

我《あ》がために織女《たなばたつめ》のその屋戸に織《お》る白栲《しろたへ》は織りてけむかも　（巻十・二〇二七）

（私のために織女がやどで織っていた白栲の衣は、織り終わってしまったのだろうか。）

この「屋戸」を注釈書では「織女の家」や「家屋を中心とする住まい」としているが、単にこれを家の意と解したなら、この歌の状況は伝わらない。この歌は巻十「秋雑歌」冒頭の「七夕」と題された三十八首のうちの一首で、この「我」とは牽牛を指している。織女に象徴されているのは機織りであり、その機織りは古来神聖な行為であった。天《あめ》の石屋戸《いわやど》のくだりでスサノヲに殺害された天《あめ》の服織女《はたおりめ》にしても、忌服屋《いみはたや》に籠って神御衣《かむみそ》を織っていたではないか。昔話「鶴の恩返し」でも、鶴は人目を避けて機を織っている。機を織るという行為は単純な労働ではなく、神の祭祀に似た特別なものであった。

そのように考えたなら、織女が機を織っている場所は、住まいという日常の空間ではなく、家とは別に設けられた祭祀空間であったはずだ。それが「屋戸」という用字に表れているのであり、一見住まいの意と捉えられる「やど」は、内と外の境界にある籠りの空間を指す言葉でもあったのである。

## 三　「屋前」の形見

ところで、『万葉集』において「屋前」と表記される三十三例は、全てが建物の前面に施された庭の意である。その内訳は、巻三に五例、巻七に二例、巻八に十二例、巻十に十四例となっていて、巻八と巻十に集中していることから、前庭としての「やど」は奈良時代以降に成立したと考えられている。また、巻八と巻十ともに四季の分類となっていることからすると、万葉人は、「やど」に咲く草花から季節を感じていたらしい。

「やど」に関しては、すでに中西進《なかにしすすむ》（「屋戸の花」）や森淳司《もりあつし》（「万葉の「やど」」）に優れた論考があるので、詳細はそれらに譲るとして、「やどの文学」ともいうべき室内的、遊戯的、技巧的な歌が天平期以降うたわれるようになったのは、大陸文化の摂取によってかつての巣穴が瓦葺きの家屋になったからで、言葉の上で「いへ」から「やど」へと変化していったと中西は指摘している。
　また上野誠《うえのまこと》は、自らの所領に暮していた貴族たちが宮都に屋敷を構えるようになり、その建物の間のわずかな空間に郷里の自然を切り取って再現したのが「やど」だとする。さらに、そのような分節化された「自然」が「やど」であったことから、宮都内の屋敷をやがて「さと」と呼ぶようになったとも述べている（「フルサト飛鳥とその〈景〉」）。
　では、そのような建物の前のわずかな空間「屋前」は、どのようなものであったのだろうか。

橘を屋前に植ゑ生《お》ほし立ちて居《ゐ》て後《のち》に悔《く》ゆとも験《しるし》あらめやも　（巻三・四一〇）
（橘を庭に植えて育て、立ったり坐ったりして気をもんだのに、人にとられてしまったなら、その後にどんなに後悔しても仕方がないでしょう。）

我妹子《わぎもこ》が屋前の橘いと近く植ゑてし故《ゆゑ》にならずはやまじ
（あなたの庭の橘は人目につく所に植えたのですから、実らせずにはおきません。）　（巻三・四一一）

　右の二首は橘をめぐる歌で、坂上郎女《さかのうえのいらつめ》が詠んだ四一〇番歌では、丹精こめて育てた橘に娘を譬えている。そのようにして育てた娘を安々と男にとられてはたまらない、と坂上郎女がうたえば、それに対して次歌の大伴駿河《おおとものするが》麻呂《まろ》は、そんなに人目につくところにおいているのだから、必ず娘を手に入れてみせよう、と応えている。題詞には単に「大伴坂上郎女が橘の歌一首」とあることからすると、この歌は駿河麻呂に贈られたものではなく、宴の場で詠まれた即興のかけあいなのだろう。この時、橘を植えた場所が「屋前」であった。
　つまり、「やど」とは男が女に妻問いする場所であり、来るかわからぬ恋人を待つ場所でもあって、そこに橘の木は植えられている。事実、『万葉集』の中で具体的に草木を植えた場所がわかる十四首のうち、十二首が「やど」となっており、「やど」は自らの手で植物を植え育てる場所でもあった。

秋さらば見つつ偲へと妹《いも》が植ゑし屋前のなでしこ咲き

にけるかも　（巻三・四六四）

（秋になったら見て偲んでくださいと言って妻が植えた庭のなでしこが、咲いていることだ。）

恋しけば形見にせむと我が屋戸に植ゑし藤波今咲きにけり　（巻八・一四七一）

（恋しかったら形見にしようと私の庭に植えた藤が、今咲いているよ。）

一首目の歌は大伴家持の亡妾悲傷歌で、若くして亡くなった妻が植えたなでしこを見て、悲しんでいる。二首目では今咲いたばかりの藤を通して、今ここには居ない誰かを偲んでおり、「やど」に植えた植物は誰かを思う形見でもあった。植物を植えたのは「やど」ばかりではない。『万葉集』中で植物を植えた用例のうち、残り二例は「いへ」に植物を植えている。

玉に貫く楝《あふち》を宅《いへ》に植ゑたらば山ほととぎす離《か》れず来《こ》むかも　（巻十七・三九一〇）

（ほととぎすが玉に貫くという楝を植えたなら、山ほととぎすはいつも来るだろうか。）

君が家に植ゑたる萩の初花《はつはな》を折りてかざさな旅別るどち　（巻十九・四二五二）

（あなたの家に植えた萩の初花を手折ってかざしにしよう、旅に別れていくもの同士。）

一首目の三九一〇番歌は、家の庭に植えた楝《おうち》にほととぎすが来ることを願う歌、次の四二五二番歌は家の庭に植えた萩の枝を頭に挿し、それぞれ違う方向に旅立っていく友人同士が名残りを惜しむ歌となっている。どちらも「いへ」に植物を植えており、建物や庭を含んだ住まい全体を指していることがわかる。この限りなく類似する「いへ」と「やど」の違いを中西は、「いへ」は家屋も含めた生活全体をさす精神的・感情的なものであり、それに比較して「やど」は明らかに具体的な建物を指すと述べている（前述論文）。中西の指摘は鋭く、原義としてはその通りだと思われるものの、これまで見てきたように「やど」は境界でもあり祭祀空間でもあり、そこに形見としての植物が植えてあることからすると、単に建物に付随した場所をいう言葉ではあるまい。

では、「いへ」と「やど」にはどのような違いがあるのだろう。

## 四　「いへ」と「やど」

『万葉集』は雄略天皇の次のような歌からはじまって

いる。

籠《こ》もよ　み籠《こ》持ち　掘串《ふくし》もよ　み掘串《ぶくし》持ち　この岡に
菜摘《なつ》ます子　家告《の》らせ　名告《の》らさね　そらみつ　大和
の国は　おしなべて　我れこそ居《を》れ　しきなべて　我
れこそ居れ　我れこそば　告《の》らめ　家をも名をも
（巻一・一）

（籠よ、美しいその籠を持ち、掘串（へらの意）よ、掘串を持ってこの岡で菜を摘んでいる娘よ。どこの家か告げなさい、その名を告げなさい。この大和の国はすべて私が平らげたものだ、すべてを私が支配しているのだ。私から告げよう、家も名も。）

この歌はいわゆる妻問いの歌であり、春の野で若菜を摘んでいる娘に向って、雄略天皇がその名を尋ねている。注目すべきは「いへ」と「名」の両方を尋ねていることで、この時の「いへ」は氏素性の意である。古代では家の名が地名であることも多く、「いへ」は土地と深く結びついて認識されるものであった。

燈火《ともしび》の明石人門《あかしおほと》に入らむ日や漕ぎ別れなむ家《いへ》のあたり
見ず　（巻三・二五四）

（明石の海峡にさしかかる日には、漕ぎ別れてしまうことになるのだろう。家のあたりを見ることもなく。）

白栲《しろたへ》の袖はまゆひぬ我妹子《わぎもこ》が家のあたりをやまず振り
しに　（巻十一・二六〇九）

（白栲の着物の袖はほつれてしまった。妻の家の方に向っては、絶えず袖を振り続けてきたので。）

最初の二五四番歌は、船旅の途次の歌なのだろう。畿内と畿外を分ける明石海峡を通り過ぎたなら、もはや故郷である奈良は見えなくなるとうたっている。次の二六〇九番歌もまた旅の歌で、妻と別れるに及びあまりに袖を振り続けたものだから、衣の袖がほつれてしまったと嘆いている。どちらも旅にあって「家のあたり」をうたっており、その「家」は故郷にして妻のことでもあった。

足柄《あしがら》の御坂《みさか》に立《た》して袖振《そでふ》らば伊波《いは》（家）なる妹《いも》はさや
に見《み》もかも　（巻二十・四四二三）

（足柄の御坂に立って袖を振ったなら、家にいる妻ははっきりと見えるのだろうか。）

この防人の歌でも、東国との境である足柄峠を越える時、妻を思っている。ここから先は未知なる世界だという恐れもあって、旅人は故郷で待つ妻の姿を幻に見るのだろう。妻は妻でそのような夫を思い、四四二四番歌では、もっと色濃くあの人の袖を染めておけば良かった、そうすれば峠を越えていく時にはっきり見えたのに、とうたっている。袖を振ることは旅の安全を祈ることであり、かつ魂の交感でもあって、常に旅人の心は故郷の妻のもとにあった。旅にあって人は「いへ」を強く思うのであり、旅の孤独は人を望郷の念へとかりたてていった。

山越《やまこ》しの風を時じみ寝《ぬ》る夜おちず家にある妹を懸けて偲《しの》ひつ　（巻一・六）

（山を越えていく風が絶えず吹いているので、毎晩家に待つ妻を心にかけて偲んでいる。）

この歌は、讃岐国を旅した折の軍王《こにきしのおほきみ》が詠んだもので、長歌（巻一・五）に対する反歌である。その長歌では、山の向こうから吹いてくる風が自分の袖を吹き返すものだから、立派な男子だと思っていたのに、故郷が思われて涙することだとうたわれている。それを承けての歌であれば、この歌の風もまた軍王の袖を吹き返す袖であり、風に揺れる袖は家の妻に向けて振った袖でもあった。ここには「旅にある我」と「家なる妹」という対概念がある。

あしひきの山ほととぎす汝《な》が鳴けば家なる妹し常に思ほゆ　（巻八・一四六九）

（あしひきの山ほととぎすが鳴くと、家の妻が常に思われることだ。）

玉衣《たまきぬ》のさゐさゐしづみ家《いへ》の妹《いも》に物言《ものい》はず来《き》にて思《おも》ひかねつも　（巻四・五〇三）

（玉衣のさわめきのような旅立ちのせわしさが落ちつくと、家の妻に別れの言葉も言わずに来てしまったことが心にかかり、妻を思う気持ちを抑えきれない。）

前歌の作者沙弥満誓《さみまんせい》は、山に籠ってでもいたのだろうか。独り山にいて妻を思っている。二首目は柿本人麻《かきのもとのひとま》呂《ろ》の相聞歌で、旅立ちに際して別れてきた妻を思っている。その旅立ちが慌ただしいものであったから、名残りを惜しむ暇もなく別れてきたことを悔やんでおり、「旅」という言葉がないのにその状況が伝わってくる。それは「家の妹」とあるからで、その対概念としての「旅にある我」がこの歌の前提にある。「さゐさゐ」という衣擦れの音もまた旅の不安をかきたてており、下へは気持ちが沈むさまをいう擬態語となって続いていく。

家ならば妹が手まかむ草枕旅に臥《こ》やせるこの旅人《たびと》あはれ　（巻三・四一五）

（家に居たならば妻の手を枕にしているのに、旅先で倒れ臥している旅人は悲しい。）

この歌では、家に居たならばできたことが、旅にあってできなくなったと嘆いている。「いへ」という日常が旅という非日常と対になっており、「いへ」は故郷にいる妻と不可分に結びついている。とすれば、次に挙げる高橋虫麻呂《むしまろ》の伝承歌もまた、「いへ」の対比としての非日常世界が幻想されているのだろう。

大橋の頭《つめ》に家あらばま悲しくひとり行く子に屋戸貸さましを　（巻九・一七四二）

（大橋のたもとに私の家があったなら、悲しそうにひとり行くあの子に宿を貸したのに。）

ここでも「いへ」と「やど」がともにうたわれていて、もしにこの橋のたもとに私の家があったなら、と仮定している。「我」と相対《あいたい》しているのが橋を渡って行きつつある「子」であり、現実世界の人間とは思われないその美しい娘の留まるところが「やど」であった。私にとっての「いへ」は、その土地の住人ではない娘にとっては「やど」にあたるのだ。

君が行く海辺《うみへ》の夜杼《やど》（宿）に霧立たば我《あ》が立ち嘆く息《いき》と知りませ　（巻十五・三五八〇）

（あなたが行く海辺のやどに霧がたったならば、私が嘆いたため息だと思ってください。）

これは遣新羅使人が出発するにあたり、奈良で詠まれた贈答歌のうちの一首である。夫に向けた妻の歌で、もし海辺の宿りで霧がたったなら、それは私の嘆きのための息だと思ってください、とうたっている。それほど身を案じている夫は旅先の「やど」にいて、興味深いことはこの時の「夜杼」という用字である。「杼《ひ》」とは機織りで緯糸《たていと》を通すシャトルをいうのだから、この「夜杼」には夜の機織りが連想されているに違いない。万葉人にとって旅の「やど」は、聖なる籠りの空間に等しかったのである。

## 五　旅のやどり

では『万葉集』において、漢字表記される「宿」はどのようなものとしてうたわれているのだろうか。その用例のすべてを以下に挙げてみよう。

しなが鳥《どり》猪名野《ゐなの》を来《く》れば有馬山《ありまやま》夕霧《ゆふぎり》立《た》ちぬ宿《やど》りはなくて　（巻七・一一四〇）
（しなが鳥が連れ飛ぶ猪名野を歩いて来ると、有馬山には夕方の霧が立っている。宿るべき所もなく。）

あしひきの山行き暮《ぐ》らし宿借らば妹《いも》立ち待ちて宿貸さむかも　（巻七・一二四二）
（あしひきの山道に行きくれて宿を求めたなら、あの子が立って待っていて宿を貸してくれるだろうか。）

十月《かむなづき》しぐれの雨に濡れつつか君が行くらむ宿《やど》か借るらむ　（巻十二・三二一三）
（十月の時雨に濡れながらあなたは歩いているだろうか。それとも雨宿りしているだろうか。）

十月雨間《あまま》も置かず降りにせばいづれの里の宿か借らまし　（巻十二・三二一四）
（十月の雨があがることとなく降るとしたら、どこの里のやどを借りようか。）

最初の二首は巻七の羈旅の歌である。一首目の一一四〇番歌では、摂津の国、猪名川流域の平野を旅していると、有馬山に霧がたちこめてきて宿るところもない、と旅の不安を詠み、次の一二四二番歌では、日が暮れて宿を借りたなら、そこには愛しい妻が待っていて一晩の宿を貸してくれるだろうか、と山中を行く旅人の思いが吐露されている。三首目と四首目は巻十二の「問答歌」に分類されるもので、十月の時雨をめぐる歌となっている。おそらく三二一三番歌は、家で夫の帰りを待つ妻の詠であり、今ごろ夫は雨に濡れて歩き続けているのだろうか、それともどこかに宿っているのだろうか、とその身を案じている。それを承けるかのように三二一四番歌では、この寒々しい雨の中、一体どの里で宿を借りたらよいのか、と夫が嘆いている。このように「やど」は「いへ」の対として詠まれるものであり、「屋取り」とは、まさに家の軒先を借りることであった。

そしてそのような「屋取り」は、旅先の「やど」をのみ指すものではなかった。

風流士《みやびを》と我《わ》れは聞けるを屋戸貸《か》さず我れを帰《かへ》せりおその風流士　（巻二・一二六）

(風流な人と私は聞いていましたが、やどを貸さずに私をお帰しになるなんて、のろまな風流人ですね。)

風流士《みやびを》に我れはありけり屋戸貸さず帰《かへ》しし我れぞ風流士にはある　(巻二・一二七)

(風流人とはまさに私のことだったのですね。やどを貸さずに帰した私こそ真の風流人です。)

これは巻二の「相聞」に収められた石川郎女《いしかわのいらつめ》と大伴田《た》主《ぬし》の贈答歌で、一二六番歌の左注によると、田主に心を寄せていた石川郎女は、なかなか田主に逢うことができなかったので一計を案じたという。すなわち、ある晩、賤しい老婆の姿にやつした石川郎女は、鍋を持って田主の家を訪れ、火を借りたいと告げた。すると田主は、彼女の想いに気づくこともなく、火を貸しただけで石川郎女を帰してしまった。その時のことを詠んだ歌がこの二首で、女の身である私から求婚したのに、それを帰すなんて無粋な男だと石川郎女がなじると、田主は、そのままあなたを帰した私こそ真の風流人だと返している。この時「やど」は一晩の宿りの意であり、共寝の暗示であることは明かである。

つまり、家の戸口の意から派生して、門と建物との間の境を指し、故人を偲ぶ植物が植えられ、時に祭祀を行う籠りの空間であった「やど」は、その境界性ゆえに共寝の場でもあり、旅寝の「屋取り」に通じるものであったのである。

家離《さか》り旅にしあれば秋風の寒き夕《ゆふべ》に雁《かり》鳴き渡る　(巻七・一一六一)

(家を離れてひとりで旅にいると、秋風の寒い夕方に雁が鳴き渡っていくことよ。)

たまはやす武庫《むこ》の渡りに天伝《あまづた》ふ日の暮れ行けば家をしぞ思ふ　(巻十七・三八九五)

(玉を輝かせる武庫の渡りに、天を伝って日が暮れていくと家が思われることだ。)

この二首の旅の歌では、家を離れて旅にあり、夕暮れ時に家の妻を思っている。「いへ」は妻の暗喩であり日常であり、その対としての男は旅の「やど」にいる。旅先で「やど」に籠っているのは、その場所が異界から遮断された安全な空間であったからだろう。「やど」の一歩外は魑魅魍魎が跋扈する夜の世界である。一人寝の「やど」は、遠く離れた家と繋がることのできる回路でもあり、そうであるから旅人は「やど」に籠ることにおいて、「家なる妹」を思うことができたのであった。

〈連載第三回〉

# 忘れ得ぬ人々

## 星の時間を語り合う

立野正裕

一

シュテファン・ツヴァイクの著書に『人類の星の時間』という本がある。十年ほど前、この本が必要になって仕事場の書棚や本の山のあいだをさんざん探し回ったことがあった。すべて無駄骨であった。それを郷里の岩手に送ってあることをわたしは失念していた。その後帰省して書庫にはいってみると、思ったとおり書棚におさめられていた。どうしてこの本を手に取る気になったかというところから話を始めよう。次のようないきさつがあったのである。

その年の秋の初め、勤務していた大学の研究所（人文科学研究所）が主催する講演会で石垣島に出かけた。市民会館で講演をおこなう講師の一人がわたしだった。そのおり知り合った人々のなかに、アウエハント静子さんという女性がおられた。この方は当時も現在も沖縄の那覇市に在住されている。物故されたオランダの著名な民俗学者・コルネリウス・アウエハント教授の夫人である。アウエハント教授は柳田國男を慕って来日し、『鯰絵』という民俗学の浩瀚な著書を出版した。これが翻訳されたときわたしはいち早く購入して一読していた一人だったと思う。だから、アウエハント氏の仕事をいくばくか承知していたことが、静子さんとの出会いの機縁となった。

柳田はオランダ人の弟子に向かって、沖縄地方を調査研究のフィールドにすることを強く勧めたという。師の忠告に従って弟子は沖縄に向かうことにした。日本語がまだ不自由だったので、通訳兼助手兼秘書を一名募集し

北大東島の日没を眺めるアウエハント静子さん
2014年3月。撮影：立野正裕

たところ、それに応じた若い女子大生がいた。それが静子さんであった。当時はまだ同志社大学英文科の学生だった。ご本人によると、京都生まれながら典型的な戦後のモダンガール、というよりアメリカン・ギャルで、英語の発音もヤンキーふう。これに対し、アウエハント氏はオランダ人ながら英国ふうの発音を身につけた紳士だった。ジャパニーズ・ヤンキー・ギャルの登場に当惑を感じ、通訳兼助手兼秘書として採用するかどうかいくらか躊躇があったらしい。けれどもおそらく静子さんの熱心さに信頼感をいだいたのだろう、けっきょく採用され、静子さんは沖縄から波照間島《はてるまじま》までアウエハント氏に同行することになった。やがて成果を母国で発表すべく氏はオランダに帰国した。その後も二人のあいだに文通が続いた。とうとうアウエハント氏から静子さんにオランダに来てほしいという懇望が伝えられた。当時同氏は妻子ある身であった。だが、離婚の手続きは済んでいるからというので、静子さんは家族の反対にもかかわらず単身オランダに向かった。行ってみると実際には離婚はまだ成立しておらず、ライデン大学に学びながらしばらく静子さんは待たされることになった。

　しかしともかく、アウエハント氏と静子さんは結婚した。ともに研究生活を送ることになった。その後二人のおもな職場はスイスのチューリッヒ大学に変わり、そこで長年暮らすことになった。

のちに夫君が他界されると、静子さんは日本に戻ったが、実家のある京都ではなく、アウエハント氏との絆が育まれた沖縄に拠点を置いた。那覇から国内だけでなく世界各地を旅し、ワークショップや講演活動を精力的に続けて現在にいたる。いっしょに街なかを歩いていても、八十歳を越えているとはとうてい思えぬ足取りの軽快さにわたしはいつも驚かされる。

明治大学の同僚だった金山明生氏が主宰する死生学研究所の招聘で東京に出てこられ、和泉と駿河台の二つの校舎で講座を担当されたこともこれまで一再ならずあるが、わたしが静子さんと初めて親しく語り合う機会を得たのは、右に述べたように石垣島での講演のおりと、そのあとの波照間島をめぐり歩くスタッフたちとの数日間の旅のあいだだった。

じつに飄々《ひょうひょう》とした雰囲気の女性である。とくに、語り始めると一気に若々しい少女のような活気と情熱がみなぎる。わたしは東京で講座や講演を聴いたことはあったが、石垣島でお会いしたときのほうが、いっそう魅了されるものを静子さんに感じた。そのきわめつけが石垣島最後の懇親会の席上だった。

その席でたまたまわれわれは差し向かいになった。話のきっかけは記憶にない。とにかく気がつくと、問わず語りのような自然な流れのうちに、話は亡き夫君アウエハント氏との日々の詳細に及び、わたしは熱心にその話に耳を傾けていた。たんなる亡夫の思い出話とは類を異にしていた。どうしてわたしはこんなことまで立野先生にお話ししているのかしら、と言いながら、アウエハント氏と送った私生活を、隠し立てすることなく語り続けて止まないのだった。まことに不思議なひとときであった。むろん懇親会であるから周りに人が大勢いる。だが静子さんは、ひたすらわたし一人に向かって語りかけるかのように、人間アウエハントの興味深い性格と価値観を打ち明けて止まなかったのだった。

挿話のかずかずについて詳しくは別の機会にゆずるが、アウエハント氏の人柄もさることながら、静子さんの個性そのものにわたしは圧倒されっぱなしだった。さしもの立野も二の句が告げず、ただただ静子節に聴き入る姿は見ものだったぞ、と沖縄から東京に戻ってくる飛行機のなかで、同行した同僚たちからさんざん冷やかされた。

事実、東京に戻って二週間もたたないうちに、なにもかも見透かしたかのように、講座主宰者からわたしに向かって、翌年度のプランが突きつけられた。来年秋、明治大学で開催する連続講座の一つに、アウエハント静子氏と立野を組み合わせて対談の場を設けるから、テーマを両者で相談してすみやかに報告してもらいたいというのであった。この要請はもちろん静子さんにも届けられた。翌朝早くわたしの携帯に着信があり、受けてみると静子さん本人からであった。講座で対談をしてほしいという主宰者の金山先生からの申し出は快諾するが、自分としては改まって対談のテーマを考えるのが苦手だから、どうか立野さんのほうから適当なアイディアをお出しいただいて、タイトルも決めてくださらい。どのようなテーマで届けるかはすべてあなたに一任したいという。

ではわたしのほうで案を練ってみましょうと応えたあと、しばらく石垣島や波照間島でのことを思い出しながらわれわれの電話は続いた。そのなかで静子さんは次のように語った。

——わたしは世界をずいぶんあちこち旅しているけれども、いってみれば多言語人間の部類というのかしら、元来言葉というものが好きなんですね。日本語はもとより英語、オランダ語、ドイツ語、そのほかフランス語、イタリア語などをつうじて人々とコミュニケーションをしていると、どの言語にも特有の印象的な表現というものがあるんです。アウエハントの生前、その国特有の言葉の表現の意味深さ、美しさ、繊細さ、陰影といったものの豊かさについて、何時間も二人で語り合ったものでしたよ。

たとえばドイツ語で言う「Sternstunde」などもその一つですね。「シュテルンシュトゥンデ」というのは「星の時間」という意味で、日常の時間から突出した特別の時間、際立って輝きを放つような時間のことを言うのです。石垣島から那覇の自宅に帰って来てあれこれ思い出しているうちに、立野さんと語り合った石垣島のひとときがまさにその「星の時間」だったように感じられると思っていた矢先だったのですよ。ふたたび、こんどは講座で二人して語り合う機会をいただけるというお話ですからとてもうれしいことです。

わたしはこう応えた。

——いまおっしゃった「星の時間」という言葉に思い当たるところがあります。シュテファン・ツヴァイクの著書にその題名の本がありますね。内容も、おっしゃるように特別の時間、際立って輝くまれな時間を生きた人々の物語を語っていたはずです。星の時間にちなんでなにか思いつくことが出来るかもしれません。決まったらアウエハントさんにもお知らせしますし、わたしのほうから主宰者の金山さんと企画部に届けておきましょう。

電話を切ってからその日はあれこれ思案した。だが、いきなり閃くようにタイトルが浮かんだ。これだ、と思った。翌朝、記憶から消え去らぬうちに書き留めたのが次のタイトルである。

『贈り物としての出会い――星の時間のなかで語り合う』

わたしはこれを早速アウエハントさん宛てにファックスで送信した。同時に金山氏と企画部にも届けた。数時間後にわたしの留守電にアウエハントさんからメッセージが届いた。いいタイトルですねぇ、ぜひこれで行きましょう、という弾んだ声だった。

## 二

前述したように、その日はツヴァイクの本を仕事場の書棚に探して見つからなかったので、遠野に帰るまで確認ができなかった。しばらくして帰省する機会が得られた。片山敏彦による訳書を改めてひもといてみると、序文の数箇所にわたしは自分の手で傍線を引いていた。たとえば次である。

「時間を超えてつづく決定が、或る一定の日付の中に、或るひとときの中に、しばしばただ一分間の中に圧縮されるそんな劇的な緊密の時間、運命を孕むそんな時間は、個人の一生の中でも歴史の経路の中でも稀にしかない。こんな星の時間――私がそう名づけるのは、そんな時間は星のように光を放ってそして不易に、無常変転の闇の上に照るからであるが――こんな星の時間のいくつかを、私はここに、たがいにきわめて相違している時代と様相との中から挙げてみることをこころみた。」

民俗学者アウエハント氏と静子さんとが、かつて夜の更けるのも忘れて夢中で語り合った一つのドイツ語をめぐる会話が想像されるようだった。なぜなら、その一夜もまた二人にとって、ある意味では「星の時間」であったろうと思われたからである。

「シュテルンシュトゥンデ」つまり「星の時間」という表現は、当初わたしが想像したのとちがって、もとからドイツ語のなかに存在する普通名詞だったようである。それをわたしはツヴァイク自身の造語の一つで、それがのちに一般化したものと思いこんでいたふしがある。静子さんとの電話のやり取りのなかでは、わたしのずさんな記憶がそのことをはっきりさせることができなかったため、なんとなく曖昧な受け答えになったが、おかげで『人類の星の時間』という本は、わたしの関心のスポットライトのなかにふたたび浮上してきた。
それだけではない。同書に収められた歴史上の十二のエピソードを想起しているうち、そのいくつかが、年来のわたしの主題である「現代の黄金伝説」の構想とも交叉し合うかのように思われた。ツヴァイクが扱っている各挿話のそれぞれは、時代が十五世紀から二十世紀にまでまたがっている。いっぽうわたしのほうは、「現代の」と限定して考えようとしている。ツヴァイクの本で「現代」に該当する挿話は十二編のうち巻末近くの三編のみである。いずれも二十世紀に入ってからの事例だ。

「神への逃走――一九一〇年十月の末　レオ・トルストイの未完成の戯曲『光闇を照らす』への一つの終曲」
「南極探検の闘い――スコット大佐、九〇緯度　一九一二年一月十六日」
「封印列車――レーニン　一九一七年四月九日」

これらはそれぞれ波長の異なる感動を伴わずには読むことが出来ない歴史上の挿話である。なかでもトルストイとスコットの挿話は、わたしの胸に感動ないし感銘という以上の深い轍《わだち》を改めて刻むかのように思われた。それはおそらく部分的には、すでにこの二つのエピソードに間接的ながら関係する事実を、わたしもまた以前に取り上げて書いたことがあったからだろう。

ツヴァイクは、トルストイの家出、失踪、そして死に先立って、トルストイのもとに二人の学生が訪れ、文豪を相手に歯に衣着せぬ論戦を挑む様子を描いていた。いっぽうわたしは拙著『精神のたたかい』の第一部で、トルストイのもとを訪れたアメリカ人ジャーナリスト、ジョージ・ケナンのことを書いていた。暴力と非暴力をめぐってトルストイとの対話をこころみたケナンの姿は、ツヴァイクが描いた二人の学生たちの姿とも重なり合うものだった。

また、スコットとその隊の遭難と死についてては、わたしがさらに若いころに同人誌に書いた「二人の大尉の死」というエッセイで取り上げた。といっても、そこでわたしが直接に語ったのはスコットその人ではなかった。スコット隊の一員オーツ大尉の行動に話は絞られていた。大尉はひどい凍傷にやられたため、一行の足手まといになるのを避けるため、思いきった行動をとるのである。自らテントから出て吹雪のなかにおのれの姿を消す。そのことをわたしは書いた。

こうしてみると、まさに「人類の星の時間」と名づけてしかるべき人々の出会いや事柄の局面について、自分が若いころからあたかもツヴァイクの構想の一端に連なるかのようにして、一定の関心を持ち続けてきたことを確認させられた気がした。いよいよわたしはわたしの『現代の黄金伝説』を、「星の時間」を生きた人々の物語として語らなくてはならないと思った。

ポリグロット（多言語主義者）である静子さんが、アウエハント氏との対話の思い出として口にされたドイツ語の一語が、かくも鮮明な波紋をわたしのうちに呼び起こすことになろうとは思いのほかのことだった。他人にはいささか大げさに聞こえかねまい。しかし、これこそ偶然のなかの必然と言ってもいい一例ではなかろうか。

三

アウエハント静子という人をわたしはまだよく知っているとは言えないのだが、それでも生前のオランダ人の夫との生活がいかなるものであったかを、問わず語りのような率直さでつぶさに語るのを、わたしは石垣島での出会いののちにも静子さんの口からたびたび聞いてきている。そのつど、その場に居合わせたわたしの友人知己が、なにか奇異の念に打たれたような表情を浮かべてわれわれ二人を見守るのである。なにかありうべからざる、途方もないことのようにかれらには思われるらしい。わたし一人だけがどうして、言ってみれば無残な仕合わせと名づけるほかないアウエハント氏と静子さんの「星の時間」の物語に聴き入るめぐり合わせとなったのか、というわけであろう。

事実、静子さんは、アウエハント氏との生活は一時期地獄の日々だったと語った。ついに離婚にいたったと語った。それから数年ののち復縁したと語った。夫にとっての運命的な愛人について深刻に悩む夫から、妻としてあるときは友として助言ないし意見を求められたと語った。夫の死後は生前にもまして、その愛人だった女性とも親しさを増し、ますます愛情をつのらせていると語った。自らの稀有な人生をたんたんと、だがときには当時の激越さを再現するかのように語り続ける八十歳の女性を前にして、わたしはすっかり魅せられてしまったのである。

男と女の修羅場を怨恨込めて語るというふうではない。うらぎられ、さいなまれ、と同時に信頼され、敬愛され、愛憎もつれ合う関係のなかで、身も心もときに息絶え絶えとなりながら、死さえも思い詰めながら、なお不思議に強靭な縁《えにし》に結ばれつつ、「星の時間」の非情なまでの別乾坤を共有し合った男女二人の物語に、わたしは石垣島以来、何度にもわたって聴き入った。いや、正確にはそうではない。夫の愛する別の女性の存在もまた、この「星の時間」の共有者として重要な意味を持つのである。静子さんによって繰り返されるその述懐のなかに、わたしはいつのころからか、なにか巫女の語りにも似たものを見いだしていたのではなかろうかとときどき考えたものだ。

なぜなら、何年かのちにわたしもお会いすることになるその女性について、静子さんは女性のたぐい稀れな美しさについて語り、高貴さについて語り、深い教養について語り、画家としての才能について語り、当事者でありながら同時に夫と女性の強い絆の証言者として語り続けるようであったからである。

ツヴァイクの「星の時間」という言葉に内包される概念は、いわゆる至福の時間とばかりは限らない。トルストイやスコットの挿話の例からもうかがえるように、「星の時間」を経験する人の多くは、通常の意味での順当な仕合わせのありようとは別次元に属する時間をくぐり抜ける。

星の時間のそういう独特の性格をいっそうよく理解させてくれるのは、たとえばダフネ・デュ・モーリアの短編小説「モンテ・ヴェリタ」という不思議な物語である。そこで語られるのは、愛する夫がありながら、モンテ・ヴェリタ（真実の山）なる山岳に分け入り、自ら望んで消息を絶つ女主人公の理解しがたいふるまいである。そして物語の語り手である男もまたこの女性を愛し、女性はそのことを知っている。通常の意味でなら、語られるのは三角関係の挫折であり、失敗であり、頓挫であり、不運であり、不幸以外のなにものでもない。しかしこの女主人公のように、通常なものや尋常なものに甘んじない人間が現実にも存在する。静子さんも、夫の愛人だった女性も、そういう人たちであるとまではさすがにわたしは断言出来ない。だが、二人のまなざしがこの世の通常のものや尋常のものの向こう側へと向けられていることだけは確かなのである。

二〇一七年九月、ドイツのシュトゥットガルトに住む画家イングリット・グラバートさんから、静子さんとわたしは招きを受けた。二人は同市へ向かい、郊外にあるイングリットさんの居宅に滞在させてもらうことになった。シュトゥットガルトでわれわれ三人が過ごした五日間こそは、もう一つの星の時間にほかならなかった。その場にいないオランダ人を囲む三人の徹宵祭は四夜におよんだ。

〈紀行〉

# 堀辰雄、今際のまなざし

伊藤龍哉

その書庫は、軽井沢追分の堀辰雄文学記念館にいまもある。

これからここに記そうと思う書庫にまつわる小さなエピソードは、見方によっては文字通り小さな、微笑ましい、ある意味では堀辰雄らしさに彩られているかと思う。絵はがきにあるような高原の山小屋に、一冬、犬でも飼って暮らしてみたい、「そんな他愛のない夢にも自分の一生を賭けるようなことまでしかねなかった」（「雪の上の足跡」）この作家にふさわしいひとこまとして。わたしもまたそのエピソードを堀辰雄らしいと思う。しかしそのわたしに微笑みはなく、代わりにあるのはこの人の何とも執念深い行き方にたいして首《こうべ》を垂れる真面目な気持ちだけである。

早い話がわたしは、堀辰雄を線の細いひ弱な、堀辰雄的雰囲気を衣装としてまとった詩人とは見なしていなかった。堀が『驢馬』の同人佐多（窪川）稲子に宛てた手紙を信じていたのである。「しかし、僕の裡に根づいている生命の樹は確かにあなた達が僕に植えつけてくれたもの――或はそれをあなた達のおかげではじめてそれと気づいたもの、と言わなければなりません。そこに僕の詩の他とは異る強みもあったわけでした。」（「『美しかれ、悲しかれ』――窪川稲子さんに」）

ここで佐多に宛てて言われていることを、佐々木基一は、かれが目撃した鮮烈な堀辰雄の姿から知るにいたった。戦時中、佐々木が軽井沢に堀を面会したおりのことである。

「話の途中で、つと立って脇の小径に面した生垣のそばに行って、立小便した堀辰雄の姿も忘れられない。それは、それまで写真でみて想像していた堀辰雄とは別の堀辰雄の姿だった。白い毛糸のジャケットを着てベレーをかむった写真や、パイプをくわえて水車のそばにたたずんだいかにもロマンチックな写真の中の堀辰雄とはまったくちがう堀辰雄の一面をわたしはそこにみた。「ああ、やっぱり堀さんは『驢馬』の仲間だったのだ」とわたしはそのとき思った。中野重治、窪川鶴次郎、西沢隆二、宮木喜久雄、窪川（佐多）稲子など、やがてプロレタリア文学運動の重要な担い手となる人々と一緒に、堀辰雄が同じ雑誌「驢馬」の同人になっていたことを、わたしはかねがね不思議に思っていた。同人は室生犀星の許に集った青年たちであったとしても、やはり、その後の文学傾向をみると、およそ対照的な、前記の人々から離れて行った堀辰雄が同じ雑誌にいたことは、何となく不思議に思われていた。しかし、軽井沢の芝生の美しい庭の片隅で立小便する堀辰雄を目の前にみたとき、わたしは堀辰雄がずっと「驢馬」の同人として終始した理由がわかるような気がしたものだ。」

このとき佐々木基一が訪ねたのは軽井沢のどの辺りであったか、いまは記念館となっているその場所でないことは判っているが、容易に断定することはできそうもない。なにしろ堀辰雄という人は実に何度も何度も軽井沢のなかを転々としている。戦時中だけでも三、四回は旧軽方面に持ち主の異なる別荘に引っ越しているし、そうかと思えば追分のほうに借家をもとめている時期もある。そのいつも身体の具合が悪かったわけではなかろうが、病身には何かと負担であったろう。火事で焼け出されたこともあった。このときは川端康成の別荘に身をよせている。そしてその都度しぶとく生きてきた。「人はまだ堀は生きている、よく持つものだと寄れば言い合ったほど、あるたけのもので生きぬいた男であった。あれほど寝ながら書物の印税を受け取り、寝ながら領収書を書き、また寝ながら印税でかせぎ抜いた作家も、まれであった。」父のない堀辰雄の、父親のような存在であった室生犀星の言である。犀星は「わが息子」について、「昭和二十八年、五十歳で逝去したが、十数年に亙る病苦と格闘した勇敢な人である」とその惜別の辞を綴った。

五十歳。記念館内の展示室に堀辰雄の生涯を辿りながら驚かされるのもそのことであって、五十まで生き抜いたという厳然たる事実のまえにしばし沈黙を余儀なくされる。あの堀辰雄が、と思わざるを得ない。かれを慕って、かれの周りに集まった繊細な優しい詩人たちは、立原道造も、津村信夫も、野村英夫も、みな早くに死んだというのに。それもまた、白いジャケットにベレー帽、パイプと水車の取り合わせという、あのお定まりのロマンチックな堀辰雄とはまたちがう堀辰雄の一面であって、しかも同時に、「常にわれわれの生《いのち》はわれわれの運命より以上のものである」というあの透明な高い響きに内実をあたえるようでもある。堀辰雄は決して薄命な作家でも夭折詩人でもあろうとはしなかったし、またなかった。

我々ハ「ロマン」ヲ書カナケレバナラヌ（日記
芥川龍之介の死に際して（昭和二年））

彼の宿命のごとく思はれる受動的《パッシイフ》なるものを
能動的《アクティフ》なるものに換へんとする努力（「プルウスト雑記」（昭和七年））

「……あなたはいつか自然なんぞが本当に美しいと思えるのは死んで行こうとする者の眼にだけだとおっしゃったことがあるでしょう。……私、あのときね、それを思い出したの。」（『風立ちぬ』（昭和十三年））

菜穂子――彼女の生は、彼女の耐へた生によつて、一層完成す。生者の運命。（『菜穂子』ノート（昭和十五年？））

**学生**　それに反して日本の古い物語はいかに美しく、なつかしいと思っても、それだけの強い力がないような気がするのです。何かfatalなものの前にわれわれを無気力にさせてしまいます。そのチェホフの短篇は、まず、森のなかのもの寂しい自然の描写ではじまっています。チェホフの筆だと其処が非常に美しいんですが、そういうもの寂しい自然がすっかりその学生の心をめいらせているのです。――そんなものからチェホフは小説を書きはじめていますが、日本のいいものはそれとは反対に、一番最後にそういうところへわれわれを引きずり込んでゆくように思われるんですけれど……。
**主**　確かにそういうところがあるだろう。これから君たちは大いにそういうfatalなものと戦ってみるのだね。僕なんぞも僕なりには戦ってきたつもりだ。だんだんそういうfatalなものに一種の諦《あきら》めにちかい気もちも持ち出しているにはいるが。しかし、まだまだ踠《も》がけるだけ踠がいてみるよ。（「雪の上の足跡」（昭和二十一年））

堀辰雄の文学に一筋貫いていつも勁《つよ》く鳴っているもの、それは生きるという厳しい仕事に耐え抜こうとする清澄なる熱意であった。われわれを「詮め」の境地に引きずり込もうとする巨大なfatalなものをまえにして、なおも踏みとどまり、意識に上らせようとする、反自然的な「ロマン」の仕事。無意識に思想にぴたりと張り付いている「感じ」を引き剥がす、ウィリアム・モリスのあの多彩な仕事を求心する核をも思わせる堀の「ロマン」の精神は、戦後発表することのできた唯一の小説「雪の上の足跡」においていっそう鮮やかに認められる。

雑木林の雪路を腰まで雪に埋まりながら帰ってきた「学生」に、「主」の問うのは、「どうだい、狐のやつの足跡はついていなかったかい?」であった。「学生」には狐と他の動物の足跡と見分けがつかない。「主」は続ける。「そうだな、こう、まっすぐに、一本の点線を雪の面《おもて》にすうっと描いたような具合に、林のへりなぞをよく縫い歩いているのだがね。兎のやつのは、そこいら中を無茶苦茶に跳びまわるとみえ、足跡も一めんに入りみだれているが、狐のやつのは、いつもこう一すじにすうっとついている。」

この掌編を書いてのち七年、ついにふたたび小説の筆を執ることはかなわず、堀辰雄は一九五三年五月二十八日に逝った。とはいえ、かれは最期のときまで狐の歩みを歩いた。わたしが書いておきたいのもそのことなのである。わたしのみた「足跡」を記しておきたいのである。

堀辰雄文学記念館は堀夫妻が最後の二年間住まった場所に開かれている。ここに移り住んだころはすでによほど衰弱していて、ものが書ける状態ではなかった。一日中床に臥せっていて、来客の訪問を受け付けるのは朝食をすませて少し休んでから、朝のあいだの一番調子のよい時刻に限っていた。

佐々木基一が久方ぶりに堀辰雄を見舞ったのもこの時間帯であった。五月二十日であった。それから八日して、堀さんは亡くなった、と佐々木は最後の訪問記を書き出している。顔には意外にやつれが見えなかった。このとき、縁側から見える「庭の一角に亭のような一間が建ちかかっていて、大工が入って、板を削っていた。書庫を建てているとのことだった。」

堀は妻多恵に蔵書の並べ方を指示してもいた。ジャンルごとに整理されたカードは十七枚におよんだ。「国文学」「外国文学」「キリシタン物」「日本美術」「西洋美術」「ギリシヤ哲学」「支那哲学」「民俗学」「能楽」……。

堀辰雄には次の小説、万葉小説の構想があった。そのためのノートも取っていた。それは『菜穂子』を超える大作になるのだ、と堀は釈迢空（折口信夫）に向かって語っていた節がある。「菜穂子の後なほ大作のありけりとそらごとをだに我に聞かせよ」。迢空の弔辞である。書庫は、これまでの自分の読書を振り返り、仕事を整理し、その連続のうちに次作を拡大発展させるためのスプリング・ボードとなるべきものであった。

ひと通り展示室や敷地内の文学碑など見てまわったわたしは、旧堀辰雄邸の縁側の傍に寄った。九月の軽井沢の暑さは今年最後の盛りをむかえるようであった。ここから堀は日々完成に近づく書庫を眺め、書棚に本が並ぶ日を心待ちにしていたであろう。明るく輝く陽光に目を細めながらわたしはしばらく書庫を眺めた。

ふたたび縁側越しに室内に目を転じたとき、そこに、堀辰雄が横たわっているのがありありと見えるようであった。かれは生きていた。しかも身を乗り出して書庫を睨んでいた。いま死の淵に引きずり込まれるわけにはいかない。まだ書くべきことがある。その混じり気のない鋭く美しい眼光は、かれがかつて大和路で出会った、「六本の腕を一ぱいに拡げながら、何処か遥かなところを、何かをこらえているような表情で、一心になって見入っている」阿修羅王そのものであった。「なんというういうういしい、しかも切ない目ざし《まな》」で、「こういう目ざしをして、何を見つめよとわれわれに示しているのだろう」とかれを釘付けにしたそのまなざしを、そのとき、わたしは堀辰雄のまなざしに目撃したのであった。そのときかれはわたしに何を見つめよと示していたのか。

堀辰雄、今際のまなざしである。

軽井沢から東京に戻ってきてほどなく、神保町の古本屋街を歩いていると一冊の本が目にとまった。「堀辰雄（人と作品）、丸岡明著、四季叢書」。小型の函入り本で丁寧にグラシン紙に包まれていた。どことなく心惹かれるものがあった。

ページを繰っていると一葉の写真に行き当たった。目を見張った。間違いない。中野重治。川端康成。

写真には説明が付されていた。「火葬場前の唐松林にて。五月三十日に私（丸岡）が写した。」後景に点在する唐松の枯木と、手前の空き地にたたずむ十人ほどの会葬者が対称をなすような写真である。みな棺のほうを向いているのであろう。カメラからみて背を向けている者、横を向いている者、まちまちであるが、二三の人が寄り合った塊がこれまた二三できている。それらの人たちから少し離れたところに、それぞれ、独りきり、うなだれ、思い巡らす、二人の人がある。まるで一本の唐松と化したように。中野重治と川端康成であった。

異様な興奮が競り上がってきて目頭が熱くなった。この二人も堀辰雄の遺体を火葬場に運ぶまえ、堀が横たえられた縁側に面した部屋からあの書庫を見たはずである。この二人ならば、あの書庫が故人による形見のたぐいなどではなく、次の仕事のためのしぶとい意力の表れであったことを、二人のなかの「作家」がいちどきに把握したであろうと、わたしは固く信ずることができた。

なぜなら、中野重治はかつて次のように書くことができた人であった。

「勉次は決められなかった。ただ彼は、いま筆を捨てたらほんとうに最後だと思った。（中略）しかし彼は、何か感じた場合、それをそのものとして解かずに他のもので押し流すことは決してしまいと思った。これは彼らの組織の破壊をとおして、自分の経験でこの二年半のあいだに考え積ったことである。自分は肚《はら》からの恥知らずかも知れない。しかし罠を罠と感じることを自分に拒むまい。もしこれを破ったらそれこそしまいだ。彼は、自分が気質的に、他人に説明してもわからぬような破廉恥漢なのだろうかという、漠然とした、うつけた淋しさを感じたが、やはり答えた、『よくわかりますが、やはり書いて行きたいと思います。』」（「村の家」昭和十年）

川端康成もまた、作家の苦悩に耐え続けた人であった。かれは当時の文芸時評に書いている。

「彼等の間で、徳永直氏だけが苦しんでいない。苦しんでいるかもしれないが、殆んどそれは文学者としての苦しみではない。初めから玄人じみた達者さで出発した徳永氏は、『未組織工場』や『ファツシヨ』などで、いよいよ作家らしくなったかのように見えるが、実はその反対だと、私には思われる。つまり、作家にはなり損って、労働者になってしまった。この二つの小説で作者は、印刷工場のいろいろな情景や人物の性格を浮びあがらせようとして、かなりの無駄を費しているが、文学的には失敗に終った。ただ、その無駄にも作者の喜びが感じられるだけである。それは文学者の喜びではない。工場労働者の喜びである。（中略）私は徹頭徹尾作者の幸福な失敗を羨望する。」（『改造』昭和七年三月号）

雑踏の街角で独り写真に魅入るわたしに、あの日の堀辰雄のまなざしが甦ってきて写真にかぶさる。わたしはわたしの想念の為すがままに身をゆだねた。脳内にひとつの歌が射し込まれたときも。

うなじ清き少女ときたり仰ぐなり阿修羅の像の若きまなざし　岡野弘彦

〈小　説〉

# 修羅街道「四谷怪談」

牧子嘉丸

## 1

早稲田の古本市で思いがけない稀覯本《きこう》を手にいれて、神田へ足を伸ばすこともなくなった。年明けの古書めぐりの楽しみを早々に失った私は、ふとなつかしさにひかれて神田川べりに向かってみた。甘泉園公園の脇をぬけて、面影橋を渡った。かつて姿見橋といわれて川面に自身の影が映るほど澄んでいたというが、もちろんいまはそんな面影はない。両淵はしっかりと護岸され、深い川底を水は流れていた。

ここらへんは円朝の噺「乳房榎」で知られた南蔵院やら目白不動やらとなぜか寺社が多い。さらに歩くと、急登の坂道がある。目白台に通じるのだが、私は左におれて明治通りに出た。ゆるやかな坂のむこうに千登世橋がみえる。塩見鮮一郎著「四谷怪談地誌」にこの橋のことが出てくる。講談社の乗り物絵本シリーズで、アーチ型の橋をくぐってトロリーバスがあらわれる絵を見た幼少期の記憶を語っている。昭和七年にできたこの橋は戦前でもっともモダンな光景のひとつだったそうだ。以来、私はここを通りぬけるとき、いつもトロリーバスが架線に火花をちらしながら走る幻影が浮かんでくる。

ところで私は塩見さんのこの本を読むまで四谷怪談の舞台はてっきり内藤新宿の四谷だとばかり思っていた。民谷伊右衛門とお岩が暮らす長屋は鮫ケ橋あたりかなと漠然と考えていた。しかし、歌舞伎「四谷怪談」二幕目はたしかに雑司ヶ谷四谷町となっている。とすると、お岩と小仏小平が不義密通の不届きものとして、例の戸板に括り付けられて投げ込まれるのは、神田川ということになる。さっき通り過ぎた面影橋あたりだろうか。この戸板は流れ流れて隅田川までたどり着くのである。

四世鶴屋南北が作中もっとも凄惨な修羅場をここに設けたのは、故事史実に付きすぎて幕府の忌避にふれるのを避けるためでもあったが、やはり水場が必要だったのだろう。雑司ヶ谷に四谷町という地名を見つけて南北は手を打ったかもしれない。おまけに坂を下れば神田川がある。

私は千登世橋の下をぬけて、鬼子母神の通りへ折れた。ここらあたりは池袋の賑わいからも、また目白の澄ました雰囲気からも、ちょっとちがった空気が流れている。年始の参拝客が行きかう境内には樹齢何百年という大木がそびえている。当時はどんなところだったのだろう。伊右衛門夫婦のわび住まいにふさわしい気配を感じたのだろうか。あるいは、鬼子母神という名が、母子の惨劇を連想させたのだろうか。

参道をぬけると、都電の小さな乗り場がある。よし、きょうは「四谷怪談」に描かれたトポスをもとめて、行けるところまで行ってやろう。そう思い決めた私はやって来た電車に乗ったのだった。ちんちんとベルを鳴らして、電車は走り出す。

雑司ヶ谷、東池袋、向原と街なかの路地をぬけて、電車は遊園地にある幼児用のジェットコースターのようにゆっくり坂を下って、大塚の停車場にすっぽりと納まった。

電車は一息ついてまた走り出す。ここから王子まではほぼ直線につづくのだが、私は大塚から三駅目の新庚申塚という停留所で降りた。なぜかお岩さんの墓参りをしておこうと思ったのである。墓所はすぐそばの妙行寺の広い境内にある。

民間に伝承されたお岩さんの故事は、四谷左門町での出来事である。婚期に遅れた娘の岩に婿をとらせるが、その夫に女ができると体よく屋敷奉公に出される。やがて、夫の裏切を知り、狂女となってさまよう姿はあわれである。しかし、その怨みで己を謀った一族縁者をとり殺す執念はすさまじい。能の「葵上」では、六条御息所の生霊が鬼女の面で嫉妬に狂って舞うが、そんな優雅さはない。

その怨念を鎮めるために、四谷で祀られたのだが、故あってこの妙行寺に分祀されたいきさつが案内板にある。歌舞伎で「四谷怪談」を演じる際は、役者たちがかならずお参りするのはよく知られたことである。そのとき、四谷に行くのか、ここへ来るのか、それとも他に分祀された社に行くのだろうか。

私は毎年暮れには「忠臣蔵」、夏は「四谷怪談」と映画を見てきた世代である。「忠臣蔵」など何度見たことだろう。といっても、子どもの私には殿中の刃傷と内匠頭切腹の場面で泣くと、あとは快地よい眠りに落ちて、討ち入りのチャンバラで目を覚ますという具合である。私はなぜか吉良方の清水一角という武士が好きであった。くらべて「四谷怪談」も、何本か見た記憶があるが、これは怖くて一睡もできなかった。

この映画でしか知らない二つの演目を芝居で観たのは東京へ出てきてからで、先代中村勘三郎の伊右衛門も渋谷の舞台で見ている。最後の水場でずぶ濡れになりながら、与茂七と斬りあって幕となるが、いまふりかえれば、あのころが歌舞伎復興を一身に背負った元気盛りであったのだ。が、覚えているのはそこぐらいで、長い序幕など人物が入り組んで皆目わからなかった。

墓前でそんなことを思い出しながら、何やら不思議な気がしてきた。ここに眠るのは巷間伝わるお岩さんであり、私が浮かべているのは映画や芝居のお岩である。私はいったい誰に何をお参りしているのだろうか。

しかし、怨みの霊力はまた効験あらたかとして、俗衆は己が栄達やら一族の繁栄を願い、商売繁盛から家内安全・無病息災、果ては入試合格・恋愛成就まで祈願しにくる。もちろん、それればかりではあるまい。亭主の浮気相手を呪ったり、セクハラ上司の頓死を願ったりと、愛憎入り乱れた祈願もあるにちがいない。世の中には呪殺グッズの秘密販売があって、呪文の札やら打ちこむ楔やらの簡易セットから、白装束から頭にかざす蝋燭までそろった本格的な一式もあるという。

己の無念などそっちのけで、我が身の欲望と怨みに取りつかれた現代人どものすさまじさに、泉下のお岩さんのほうが慄いているのではないか。その点、殊勝な私などは自身のことは何ひとつ祈願しなかった。ただ息子の仕事と娘の良縁を願っただけである。

ふたたび都電に乗ると、すぐ飛鳥山まで来た。ここには実業家の渋沢栄一の記念館がある。少し離れた駒込には古河庭園がある。足尾鉱毒事件の張本人古河市兵衛の別邸だったところである。

しかし、こんな人を踏みにじって成り上がった財力家には何の関心もない。私はきまってひとりの青年を思い出す。大逆事件で刑死した古河力作である。このあたりで庭師として働いていたのだが、何の痕跡もよすがもない。五尺にも足らぬ小柄な人だったというが、皮肉にも「大逆」という罪でその名を残している。

おもえば、赤穂の浪士たちの吉良邸討ち入りも幕府の政道への大逆ではなかったか。主君の刃傷沙汰で禄を失った藩士たちはお家再興をもとめて奔走するが、それもかなわずやがて復讐へと気持ちは固まっていく。「忠臣蔵」と「四谷怪談」はこの元禄の大騒動を表と裏にして演じられてきた。幕府を憚って赤穂は塩谷と名を変えられているが、南北は民谷伊右衛門をその塩谷藩に仕えていた武士とし、いまは浪人の身に設定している。

電車は大きくカーブして飛鳥山の下をぬけると、王子の駅に入った。しばらく停車して乗客が入れ替わった。ようやく席につけた私はまたちんちんと鳴って動き出す電車に揺られて目を閉じた。

## 2

それにしても伊右衛門というのはつくづく不思議な男である。お岩への恋慕のあまり結納金ほしさに大事の藩の金を盗み出す。それが発覚して岩の父四谷左門から離別させられると、今度はよりを戻したい一心でその義父を斬殺する。ところが、そこまでしてやっと手にいれた岩との所帯も尾羽打ち枯らした浪人暮らしの伊右衛門には面白くもない。

「このなけなしのその中で、餓鬼まで産むとは気のきかねへ。これだから素人を女房に持つと、こんな時に亭主の難儀だ」と、まるでお岩ひとりで子を産んだような邪険なことをいう始末だ。

この伊右衛門の独善ぶりは手伝いに来ていた小仏小平が、ソウキセイという唐薬を盗んだことを咎め「出来心であろうが忠義であろうが、人の物を盗まば盗人。忠義で致す泥坊は、命は助かるといふ天下の掟があるか。たはけづらめ」と自分の盗みを棚に上げてこうまくしたてるところにもよく出ている。

これが見るからに悪人面か、業突く張りの醜男であれば納得もいく。が、色悪と言われる美男なのだから、始末が悪い。その冷酷非情さが観客の身に沁みるのである。

この伊右衛門役を何人かの俳優が演じている。私は日本映画専門のミニシアターやビデオで何本か「四谷怪談」を観なおしたが、なんと上原謙や長谷川一夫の主演もある。この往年の銀幕の大スターが演じる伊右衛門は、美男では申し分はないが、冷酷な悪人ぶりではははなはだ弱い。

面白いのは、この映画で二度主演を演じている俳優に若山富三郎がいる。私は一本しか見なかったが、上原・長谷川の伊右衛門にくらべて、格段の凄みがあった。祝言で能を舞うシーンなどさすが杵屋一門の出であることを思わせた。なかでも最後の墓場での大立ち回りは、太り肉の短躯で突進して捕り方をばったばったとなぎ倒す。その殺陣は弟勝新太郎の座頭市以上の迫力があった。

一方、上原謙や長谷川一夫の伊右衛門は二枚目すぎて、どこか非情に徹し切れない甘さがある。上原謙主演の作品は木下恵介監督で「新釈四谷怪談」と題されて、田中絹代が岩と妹お袖の二役になっている。伊右衛門を唆す直助に滝沢修、その情婦になる乳母お槙が杉村春子と、新劇人が脇を固めて、悪役ぶりを発揮している。肝心の上原伊右衛門がからっきし意気地がなくて、伊藤家の娘お梅に抱き着いて、どうか俺を見捨てないでくれと哀願する始末である。新釈といえば、そうなのだろうが、悩める和製ハムレットになっている。

これは監督の木下恵介が、戦後の復員兵の大量失業という世相を背景にしていることにある。現人神に祀り上げられた暗君と蒙昧無知な軍人によって、戦争に駆り出され、結果家も職も失ってさまよう復員兵に、お家の過失により失職し浪人となった上原謙の姿が重なる。

お岩は棄てられまいとして伊右衛門に縋りつき、伊右衛門は仕官の手づるとしてお梅にしがみつく。女も男もみな生きるために必死であり、なりふり構っていられないのである。その惨めで不甲斐ない伊右衛門をあの戦前の二枚目上原謙が演じていることに、当時の観客は一種の感慨を覚えたにちがいない。

この心優しい伊右衛門にくらべて、若山富三郎の悪人ぶりは両目が据わっていて、寂しく暗い情念が漂っている。役者としての活躍の場をいまひとつ得られないでいるもどかしさが伊右衛門の表情に重なって見える。鬱屈した凄みはあるが、優男の風情には欠ける。

そんななかで色と悪を兼ね備えた伊右衛門を演じたのが、当時無名に近かった天地茂である。この人は男のニヒリズムとエロチシズムを漂わせた独特な味わいのある役者だった。細身で黒の着流し姿は、歌舞伎の色悪の優雅さを漂わせていた。追い詰められた伊右衛門が白目をむいて「お岩、許せ」と叫ぶラストシーンは、天地茂迫真の演技であった。私が観たなかで子ども心にもしびれたのは、これであったようだ。中川信夫監督のこの映画が、四谷ものの最高傑作と今日言われるゆえんでもある。

食うや食わずの伊右衛門にとって隣家伊藤家からの婿入りの申し出は千両・万両の富くじに当たったようなものである。若い娘と財産が向こうから転がり込んでくるのだ。おまけに敵方とはいえ権勢ある高野家の家臣にまで取り上げてくれるというのである。ここで不思議なのは伊右衛門がこの話にすぐ飛びつくのではない。「女房ある身なので」といったんは断るのだ。この一瞬の後じ

四ツ谷怪談　戸板返之図

豊原国周画　大判錦絵三枚続　明治十七年（一八八四年）十月
江戸東京博物館
サントリー美術館「歌舞伎展」カタログ（二〇一三年三月刊）

さりに揺れる微妙な心理がある。

芝居でも映画でもここの演技が大事でもあり、見どころなのだ。武士としての体面とお岩への未練が、喉から手が出るほどの欲望を一瞬思いとどまらせるのである。ここでの為すべきか為さざるべきかの逡巡が、あとの展開につながる感情の矯めになる。

しかし、「先ほど進ぜたのは面体変わる毒薬」と伊藤喜兵衛から告げられるとにわかに決心。ここから一瀉千里の悪党ぶりはすさまじい。婚礼の身拵えに岩から金目のものをとりあげ、おまけに蚊帳まで引っさらおうとする。このシークエンスはほぼ従来の型通りの演技で、冷酷無情の感情をそのまま剥き出しにすれば十分である。伊右衛門のような男なら、当然だろう、と。だが、伊右衛門は心底の悪人といえるだろうか。

実際、この役の心得には「一たい此の役は立やくでもなし、しっかりと実悪でもなし、先どうらく者の心持でする」と書かれている。主役でもなく、悪党でもない、元来の道楽者であることがその役の性根であるというのだ。

実悪の陰険・邪悪さにくらべれば、伊右衛門の悪人ぶりなど一時の気の迷いみたいなものである。長谷川一夫の伊右衛門などは、秋山長兵衛という浪人仲間に唆されて悪事に走る筋書きにしてある。最後に「お岩の仇だ」と長兵衛を斬り捨て、その無念を晴らすのだが、こんな四谷怪談は見たことがない。これは看板スターに悪役を演じさせられないという暗黙の約束だろう。

一方、若山富三郎の伊右衛門も母親の指図通りに動く主体性のない人物として描かれている。この母親お熊を飯田蝶子が演じているが、いつもの気のいい御婆さん役ではなく、ちょっと姉御じみた色香を残した中年増である。伊右衛門はこの武家の母と町人の間にできた不義の子で、それで「そちのような下賤な出の人間に、岩はやれぬわ」と四谷左門に面罵されて、凶行に走るのである。伊藤家に取り入って、毒薬を伊右衛門に手渡し岩に飲ませるように仕向けるのも、このお熊がたくらんだことになっている。

お岩の亡霊に悩まされ、憔悴しきった伊右衛門は、「おれはお岩のことが好きだったんだ。それをお袋殿、おまえのせいで」と言うと、母親のお熊が「いまさら、何をお言いだね。しっかりおし」と言って伊右衛門の頬をぴしゃりとぶつ。思わず息を飲む場面である。何のことはない、伊右衛門はこの強欲な母親に翻弄されるマザコン息子という設定だ。

つまり、伊右衛門という男は、状況に左右されやすく、他者に唆されやすい性質なのだ。ささやかな幸せを手に入れたいと望む小市民的性格が、はずみで義父を斬ったり、つい魔が差して岩を棄てたりして、悪事にはまりこんでいく。冷酷無比とみえる振る舞いも、弱い人間が逆上したときに見せる残虐さであって、悪行に居直る心底の悪人ではない。本当の悪人は、このお熊のように自らは手を汚さず、他者を使って己の欲望を叶えようとする人間なのだ。

だから、伊右衛門の精一杯の悪党ぶりも、隠亡堀の幕あたりまでで、後は攻守逆転。お岩の執念に逃げ惑うばかりである。

この陰惨な「四谷怪談」のなかでもっとも美しい場面といわれるのが、大詰め「夢の場」の一幕である。伊右衛門の夢にそっと忍び込んだ岩は、わび住まいの田舎娘として登場する。その姿は伊右衛門が惚れたのも無理はないほどの美貌である。歌舞伎ではその絶頂期にあった玉三郎と片岡仁左衛門が演じたときの美しさは、いまも語り草になっている。

鷹狩に来たのだが、その鷹を見失って、あづまやにたどり着く。伊右衛門はそこの娘に一目惚れして、すぐさま懇ろになる。女からご内儀はと聞かれた伊右衛門は、「性悪の女で、悋気が強いから別れた」というと、では、どうしてもその妻女は愛せぬのかと問う。これでいくと、お岩はまだ未練があるのだろうか。伊右衛門は冷然と二心はないと娘に迫るが、ついに見切りをつけたお岩は、ではその女房殿とはこんな女かえと正体を現す。

ここから、お岩は壮絶な復讐の仕上げに取り掛かる。母のお熊は鼠に食い殺される。父親は絶望して首を吊る。ここで、お岩が赤ん坊を手渡す場面がある。伊右衛門は民谷家の命脈がこれでつながったと思い「でかした、女房」と喜ぶのもつかの間、一瞬で地蔵に変わる。

このとき、岩は伊右衛門の絶望・落胆ぶりを見てニヤリとする。評者のなかにはこのニヤリが作中もっとも恐ろしい場面という人がおり、歌舞伎の見巧者にはこのときの役者の表情を見逃さない。たしかに、怪談中の定番である毒薬で崩れた面貌を鏡に覗きこむ恐ろしさはすでに観客には予測されている。オペラ座の怪人がマスクを剥がされたときに表れる奇怪な醜貌と同じである。恐ろしさと同時に哀れさにもうたれるのである。

が、この「ニヤリ」は美貌のなかに潜む女の冷酷な笑みである。色悪の女版というべきか。それともどの女のなかにもある残酷さというべきか。それにしても、この岩という女もすさまじい執念である。伊右衛門許すまじの一念ものすごく、さんざん虐げられた怨念が爆発する。

「お岩、許してくれろ。おれが悪かった」と、叫ぶ伊右衛門がかわいそうに思えてくるほどで、色悪もかたなしである。死んだお岩は神出鬼没で溌剌と、伊右衛門をいたぶっている。さっさと取りついて殺せばいいものを、猫が捕らえた鼠をいたぶるように、どこまでも苦しめる。

女のなかにある悪性な意地悪さが、この岩のなかに体現している。生娘のときは隠されていた本性も夫婦になって気づくものだ。「女性は天使であるが、夫婦生活では悪魔である」とは、かのバイロン卿の言葉であるが、この好色多淫の詩人の妻は悪魔になるしかなかったろう。

伊右衛門も若いお岩に天使を見たに違いない。父親を斬殺しても取り戻したかった掌中の珠であったが、しばらくして開いてみるとただの礫《こいし》に過ぎなかった。何やら辛気臭い夫婦生活で世帯じみてやつれ、すっかり色香も失せた女房に心底厭気がさしていたのかもしれないな。

そんなときに若い女と大金が手に入るなら、そんな女房なんか棄てるだろう。自分だってそうしたい。いや、絶対そうする。おれは若い女が好きなんだ。

と思った瞬間、前の座席に顔をぶつけて、はっと目が覚めた。

「三ノ輪橋、三ノ輪橋。終点です」

私は急にものに襲われた心地がしてあわてて立ち上がった。と、がくんと車体が止まった反動でこんどは真鍮のバーにしたたか頭をぶつけた。妙行寺参りの天罰覿《てき》面《めん》。「くわばら、くわばら」と額を撫でながら、電車を降りたのだった。

## 3

私は三ノ輪から千束の見返り柳のそばを抜けて、かつて花魁ショーを見せた松葉屋のあったあたりから猥雑な巷の中心街へと入って行った。ここらへんは江戸時代からの遊里で、いまは知らぬ人のない特殊浴場の盛り場である。

この界隈がにぎわいをみせるまで、まだ間があるのだろうか。つかの間静寂がただよう昼下がりの町を、それでも私は足早に歩いた。「紅楼夢」とか、「金瓶梅」とか、「アラビアン・ナイト」とか、なぜか世界の古典が甘美な桃源郷の看板につらなっている。わざわざ「泡沫王国」とか、あるいは「粉紅沙龍」とか中国人むけに案内が出ているが、もし武漢から来た客ならどうするのだろう。

それにしても夜な夜な、現代の湯女が男どもに奉仕しているのかと思うと、江戸以来の伝統がこんなところで残っていることに妙な気もする。舌を舐めあったり、股間をまさぐりあったり、あられもない恰好で抱き合ったりして、よくもまあ人間は飽きずにこんな濃厚接触をくりかえしてきたものだ。そう思うと、何やらおぞましいやら浅ましいやらで、我が身も同類ながら恥ずかしくなってくる。

しかし、性の逸楽はこの風俗のメッカだけのものではない。世間では浮気による不貞不倫や痴情のもつれから、売淫・強姦・淫行・セクハラ・痴漢・盗撮・下着泥棒と、歪んだ情欲に取りつかれた事件が報道されぬ日はない。

この欲望のウィルスは政治家・役人・経営者からサラリーマン・弁護士・教師、果ては検事・警官・自衛官・坊主に主婦や学生どもまでありとあらゆる階層に及んでいる。そして、そのあまりに高い代償を支払うことになる。

しかし、彼らは決して私には無縁の衆生ではない。自身もまた十代半ばに伝染して以来、この病にとりつかれてきたのである。近年ようやくそのほとぼりもさめつつあったが、こんな場所を歩くことじたい無意識の欲望があるのかもしれない。

そういえば、出がけに見た朝刊に「性欲が消えた私は小さめの犬小屋として余生を送る」という短歌が載っていたが、ふだん「読者歌壇」など見たこともないのに、なぜかこの一首が目に飛び込んできた。いきなり「性欲」という初句に惹きつけられたのか、こんな風変りな歌が首席で入選しているのも不思議だった。

その評に、「性愛とは縁の薄い余生を送っているのだろうか。『小さめの犬小屋』とは、雨風から一つの命を守る最低限の設備。そんな存在でありたいと願っている」と、あった。もちろん、男性の投稿者だった。

私は盛りの消えた男という存在のあわれさにいささか身につまされはするものの、同時にあまりに倹《つま》しい余生の送り方に意気地のなさをも感じずにいられなかった。

かつてバルザックの「従妹ベット」を読んで、ユロ男爵という登場人物に私は心底驚嘆したことがある。この老性豪は枯れるということを知らない。日本的諦念などと無縁である。さすがにワインとチーズの国柄である。

(関係ないか)

以来、男はこうでなくてはいけないというのが私の信念であり、願望になった。ほんの一歩店内に入れば、妖艶なチャイナドレスや悩ましいランジェリー姿の女性が出迎えてくれるのだ。そう思えばさすがに胸の高鳴りを覚える。

せっかく来た花街を身を固くして通り過ぎるのも野暮な話である。たいしたこともない人間が何を君子ぶっているんだ。ここは聖人ならぬ、性人男子として性春を取り戻すにしくはない。

さっきから私の中の卑しく浅ましいエロ男爵がそう唆してやまない。こんな場所で遊んだことはないが、どうせやることはひとつだ。犬小屋で寝てたい奴は寝てろ。こっちは桃源郷にお出ましだ。決めた。やっぱりおれは若い女が好きなんだ。

と思った瞬間、ズキッと額のこぶが疼いた。

いや、いけない、いけない。お岩参りの初心を忘れたら、泡で滑って後頭部を打ち即死か、つんのめって浴槽の角に顔面を打ちつけてそれこそお岩さんになるのが落ちだろう。

私は危うく思いとどまった。しかし、この欲望渦巻く社会では、いつなんどき高波に襲われても不思議はない。平坦に見える人生の道も実は危うい綱渡りであって、一瞬の欲情で地位も家庭も失い水底へ転落していく。そう考えるとあらためて戦慄を覚えるのであった。

それにしても、ここで発射された男の体液は泡とともに排水溝から流れ出てどこへ行くのだろう。ドロドロになった男どもの欲望のはては大川でも流れ着くのだろうか。

千束の商店街をぬけて浅草に入ると、いまやそこは異域であった。雷門から仲見世は異人種の空間に変わっている。飛び交う言葉は国籍不明の叫びであり、怒声と悲鳴がまじりあったような声々であった。成人を迎えた振袖すがたのわが大和の撫子も、奇声と嬌声では負けていなかった。

四谷怪談の序幕はこの参道の茶店から始まるのだが、大江戸浅草の雰囲気はもう歌舞伎の舞台にしかない。この芝居では上は武家・医師・通人から、下は浪人・薬売り・中元、おまけに乞食・非人まであらゆる階層が登場する。

女もまたお嬢様と乳母、茶見世の女将から地獄宿の遣り手婆、辻姫・夜鷹とつづく。そして、なんとお岩は夜鷹、妹のお袖は昼は楊枝屋の売り子、夜は地獄の娼妓である。つまり、姉妹そろって夜の女なのである。この姉妹の父四谷左門は乞食に身を落としている。これもみな塩谷家お取り潰しで、禄を失ったためである。

面白いのは、武士は喰わねどなんとやらで、武家の矜持はすてていない。父親は乞食はしても伊右衛門からの金は不浄としてとらぬし、この姉妹も客の袖は引いても決して肌身を許さない。訳をはなして金だけは貰うのである。当時の江戸っ子は「おう、そうかい。そいつはてーへんだ。いいってことよ」とあっさり了解してくれたのだろうか。まさかと思うが、そこは芝居である。

この四谷怪談には、「伊原本」という別版があって、ここでは「おだい」という老娼婦が地獄宿に登場する。少女と年増に化けて、一度にふたりの客をとる。薄暗い部屋の真ん中で衝立を立て、右と左の床で入れ替わりにサービスするのだが、当時の観客の爆笑を誘ったであろう。

せわしく立ち回るうちに衝立が倒れて、「ややっ、これは」ということになるのだが、それから金を払う払わぬで騒ぎになる。それぞれ二回ずつ済ましたのだから、金を払わぬという法はないとおだいはわめく。ということは、このおだいは計四回ことに及んだわけである。

南北はいっぽうで江戸町人の過剰な性の氾濫をみせておいて、かたや肌身を許さぬ武家姉妹の売色を描いている。庶民の奔放な快楽と名分にとらわれた窮屈な禁欲の対比がある。

しかし、みんな生きんがために必死であり、その江戸に生きる人々の雑多なエネルギーが渦巻いてはいる。

私は浅草寺を抜けて、伊右衛門が岩の父親を、同時にお袖に横恋慕する悪党直助が恋敵を斬殺する浅草田圃裏とはどこらあたりだろうと、猿寺から花屋敷のあたりをうろついた。が、どこかものわびしい気配が漂っているだけだった。あきらめて踵をかえすと、六区の映画街の雑踏から浅草通りに出て、やがて吾妻橋のたもとに来た。

麦酒会社の趣味の悪いオブジェが中空に浮かんでいる。その彼方に高い塔がそびえている。アーサー王伝説の剣を天上から突きさしたようにも見えるし、化鳥が空に向かって直線に仰いでいるようにも見える。

あの下に慶春寺があるのだ。そこには南北の墓がある。

## 4

冬の早い夕暮れが迫っていた。深川八幡宮は、門前仲町の通りにあるにぎわいから離れて静まり返っていた。私は境内にある茶店の床几に腰かけて、早稲田で手に入れた稀覯本を取り出してみた。ずいぶん値が張ったが、珍しい収穫に満足していたのである。

はるけき昔の思い出がよみがえってくる。講堂の真ん中で、老教授が話している。「不勉強な君らは」というのがその先生の口癖で、「どうせ忠臣蔵くらいでしか知らんだろうが、江戸時代というと武士も町人もみな忠義やら忠孝やらでがんじがらめに縛られていたと思っとるだろが、そんなチュウ、チュウとネズミみたいに鳴いて暮らしていたわけじゃない」と、ここで一呼吸いれるのだが、誰も笑わない。

「遊郭や芝居という非日常的空間、つまり悪所に通う者の粋を説いた往来物がすでに江戸初期にある。それがこれだ。どうせ君らみたいな不勉強な学生には、今はわからんだろうが、もし古書店でも見つけでもしたら買っておいて損はない。まあ、そんな金があるなら飲みにでも行こうという料簡だから、君らはダメなんだ」

そんな懐かしい講義の一節が教授の嘲弄的な口調とともに思い出される。正月の古書市で見つけ、あっと叫んですぐさま入手したゆえんである。

「ねえさん、茶をもう一杯おくれんかえ。えろう動いたさかい喉がかわきくさるわいの」

と、どこかで聞いたような芝居のせりふが聞こえてきた。ちょっと間をおいて、「そちらさんもずいぶん歩きなすって、さぞお疲れでござんしょう」とこちらに声をかけてきた。

「ええ、いささかくたびれました」と思わず返事をしてから、はっとした。

「うん。でも、なんで」

「春慶寺からあなたのあとをずっとついてきたんでさあ。いまどきあたしの墓参りをしてくれるなんて、どんなご奇特な方だろうと思いましてね」

「え、するとあなたは」私はびっくりして顔を見た。


薄暗がりに、どこかで見覚えのある眉太く眼光するどい翁の顔がぼんやり浮かび出た。歌舞伎絵から抜け出たような粋な姿で、身づくろいも奥ゆかしい。

「ひょっとして、四世大南北さんのゆうれー」私は素っ頓狂な声を出した。

「滅相な。幽霊はうらみつらみで化けて出るんで、わたしゃ何の遺恨も執着もありゃしませんよ。ただよく葬いの日を覚えていてくだすったんで、ついふらふらっと」

「それはそれはおおきに恐れ入ります。たしかに正月十三日はそうでござんしたね」

「おかげで、ひさしぶりに娑婆に出て、本所やら、隠亡堀やら、三角屋敷やらとあなたの背中にくっついて来ました。長年住み慣れた黒羽神社の境内にきたときはなつかしいやらなんやらで」

「そこでお亡くなりになって、あの押上の春慶寺までながい葬列ができたとか」

「ところが、いま唐傘の化けもんみたいな奇態な建物がおったって、おちおち寝てられやしません」

私は今日ふと思い立って、面影橋から妙行寺、三ノ輪から浅草・本所へと「四谷怪談」の舞台を回ってきたことを話した。

「ここまで来たら、南北さんにもご挨拶をと思ってお参りした次第でござんして」

「そりゃどうも。ところで、いまのお方もそんな江戸の言葉をお使いなさるんですかえ」

「いや、江戸っ子の南北さんにあわせようと思ったんでがんす」

「ははは。ずいぶん面白い、お気楽な方だ」

「ありがとう存じ上げ奉りござ候。もうこれぐらいでいいですか」

「はいはい、もう結構。あなたのその言葉を聞いていると、なんか喉元がむずむずしていけねえや」

翁は茶をぐっと飲み乾すと、

「実はここで黙って消えるつもりでしたが、いまあなたがお読みになっていた『瓢金今川《ひょうきんいまがわ》』を横から拝見して、こりゃちょっと話せる御仁かなとつい声をかけてしまいました」

「いや、お買い被りもいいとこで」と、いまさらに教授の学恩ありがたく「なにも知っちゃいないいんですが。でも、この徹底風刺と滑稽ぶりは南北さんに大いに通じるものがありますね」

それは室町時代に成った武家教訓書「今川状」を逐一もじって、江戸時代に絶対的であった道徳を笑いのめし、皮肉った書であった。「君父の重恩、忘却せしめ、両親を軽くし、我が身を重くし、天命を恐れず働くこと」と、忠や孝を痛烈に茶化したり、悪所通いの粋や節季払いのくらましかたまで説いて、その内容は生半可でない。

「世の中を表からだけ見ていては何もみえませんや。裏から見れば、嘘があり欲が隠されている。表向きだけの建前を野暮だと笑った江戸っ子の心意気があったればこそ、あたしの洒落やまぜっかえしが通じたんでさあ」

「なるほど。南北さんのお芝居には忠と不忠、善と悪、真と偽のどれをとってもみな紙一重の危うさで成りたっていますよね。結構・筋立の綯《な》い交《ま》ぜからせりふ回しの妙といい、細工・道具立ての奇抜といい、みなすばらしい御作ですが、なかでも四谷怪談はさすが南北さんの集大成、一代の傑作だな」

「うれしいことを仰ってくださいますね。出てきたかいがありましたよ」

「それにしても江戸の文化文政のころって、あんなに色と欲のからんだ爛熟期だったんですかね」

「いや、そいつはいまも変わりませんや。ほら、これから起こる一幕をご覧なせえ」

――と、一台の黒塗りの車が境内脇の駐車場に入って来た。

運転手が降りて、後ろのドアを開けると、和服姿の女性が降り立った。そのとき、いままでどこに潜んでいたのか、一人の男が突然駆け寄った。女は悲鳴をあげて車に逃げ込んだが、その襟をつかんで引きずり出すと、いきなり日本刀で首に切りつけた。そして「この怨み、覚えたか」と胸元を突きさすと、衝撃で刀が真ん中から折れた。

あわてて逃げようとする運転手を、車の陰から別の女が飛び出して後ろから斬りつけた。運転手は右腕を押さえてへなへなと座り込んだ。女は刀を振り上げたが、下ろさなかった。男は襲った女が絶命したのを確かめると、連れの女と正殿に向かった。ここを一期と目を見合わせると、男は大型ナイフで女の首と胸を突き、自身も喉深く刺しこんで自害した。

一瞬の惨劇の幻影がよみがえった。

日はすっかり暮れ、私は境内のベンチにひとり座っているだけであった。その事件は三年前の十二月七日に起こった。私は二週間後に、ふと好奇心に駆られてこの犯行現場に来たことを思い出したのである。

被害者女性はこの八幡宮の宮司で、犯人は元宮司の実弟であった。共犯の女は男の妻で、姉弟は五十代後半、女は四十代半ばであった。犯行は相続をめぐる争いが原因だった。弟は若いころからの浪費・散財癖が宮司になってさらにつのり、乱行・蕩尽のあまりのひどさに手を焼いた親族から解職され、姉を立てた。

しかし、男は自分を宮司にもどせ、それができないなら長男に継がせろと執拗に迫った。神社本庁が女性宮司を認めなかったからである。

銀座のバーやラスベガスのカジノで豪遊し、乱脈な女性関係を繰り返していた弟の評判は悪かったが、被害者の姉も地元では同情の声は少なかった。境内の敷地に社宅と称して豪邸を建てたり、新宿のホストクラブに出入りしては、若い男に羽振りよく貢いだりという噂がしきりだった。

事件の背景には、関東屈指のこの名門神社の莫大な収入とそれを一存で使える権限があるとされた。年末年始、賽銭箱に投じられる金だけでも数億円にのぼったという。姉弟の父親も株の投資に失敗、億単位の損失を出していた。

御利益を願う庶民の参拝が巨万の富を生み出し、神社はそれをめぐる人間の利権争いの場に変わっていた。取り澄ました顔で神事を司りながら、親子の頭は金と情欲でいっぱいだったのだろうか。

どんな一族でも組織でも富を生み、財を成せば必ずおこる争いでもある。一族経営の中小の会社から上場の大企業に至るまで、利欲にからんでお家騒動を繰り返している。それは、愚劣な権力の簒奪者が、庶民から収奪した税を野心と私欲で恣にするのと同じ構図でもある。

連日報道される新聞の記事のなかで私が異様な衝撃をうけたのは、男の「死んでも怨霊となって、永遠に怨みつづける」という遺書のすさまじい文言だった。男は裸で職を追われたのではない。退職金一億円と月々の生活費として六十五歳まで三十万を支給されることになっていた。自身の不行跡の結果ゆえ、何の不平も言えないはずだが、余人には知れぬ深い怨念があったのだろうか。

それとどうしてもわからなかったのは、男の妻までがこの凶行に加担した動機だった。

この女性は銀座のクラブに勤めていたときに男と知り合ったのだが、その結婚には、男の両親と姉から猛烈な反対があったという。女性の兄弟に身体障碍者がおり、それを出自の卑しさからくるものと非難罵倒された。下賤の身は神社の格式・家柄に合わぬというのである。自身は浅ましい欲望にまみれながら、神職のプライドだけは異常に高かったようだ。

そういう事情からか男とは離婚・再婚を繰り返している。そして、女もまた深い恨みを募らせていったのだ。この女が斬りつけた運転手は宮司を補佐する禰宜《ねぎ》でもあった。その右腕は危うく切断寸前だったというから、すさまじい憎悪がわかる。

小さいころは「〇〇ちゃん」と可愛がり、「お姉ちゃん」と慕ったであろう姉弟が、五十年を経た後に刃も折れよとばかりの刺殺に及んだのである。もしこの女性を嫁として快く迎えていれば、あるいは夫の犯行を思いとどまらせたかもしれない。結果はしかし、怨みを倍加させたのだ。

たとえ貧しくともつつましやかに暮らす市井の家庭に育っていれば、この姉弟の運命も違っていたであろうに。それはまたひとりの女性の人生をも狂わせ、同時にひとりの男性の体と心にも癒えぬ傷を残したのである。

私は亡くなった三人の御霊安かれとその成仏得度を祈らざるを得なかった。大鳥居を出て、門前仲町の商店街を歩くと、富岡不動尊へ折れる通りは打って変って喧騒に満ちていた。かつては、このにぎやかな通りを姉も、弟夫婦も楽しげに歩いたことだろう。それがいつしか心に深い闇を抱えるようになっていったのだ。いま行きかう人々は誰もそんな不幸と悲しみの来歴を知る由もなく、通り過ぎていく。私はそのまま永代通りを歩いて、隅田川の風に吹かれたいと思った。

## 5

私は永代橋の欄干から川を眺めていた。小型野砲のようなカメラを抱えて、何人もの写真家が暮れ行く夕景を撮っていた。隅田川の下流は二手に分かれて流れていく。その中洲に高層のビル群が立ち並んでいる。それは夕闇にうかぶ幻想的な遠景のようでもあり、何か不安を覚える景色でもあった。

ここからやや上流にあった江戸時代の永代橋には、文化四年の深川八幡祭礼の日に押し寄せた群衆のために、橋が途中で崩落、雪崩をうって隅田川に転落した惨事の歴史があった。溺死者と不明者で千名を超えたと伝わっている。このとき、ひとりの武家が橋上で抜刀し、押し寄せる群衆を押し返して多数の命を救ったという逸話が残っている。

大正の大震災でも大戦末期の大空襲でも、隅田川に架かる橋々で阿鼻叫喚の悲劇があったが、そんな悲惨な歴史を飲み込んで、川は静かに流れている。欄干の真下に現れた遊覧船からにぎやかで楽し気な歓声が聞こえきた。と思う間もなく波筋を残して川下へ吸い込まれていった。

「ことに日暮れ、川の上に立ちこめる水蒸気と、次第に暗くなる夕空の薄明りとは、この大川の水をして、ほとんど、比喩を絶した、微妙な色調を帯《お》ばしめる。自分はひとり、渡し船の舷に肘をついて、もう靄の下りかけた、薄暮の川の水面を、何ということもなく見渡しながら、その暗緑色の水のあなた、暗い家々の空に大きな赤い月の出を見て、思わず涙を流したのを、恐らく終生わすれることはできないだろう」

「大川の水」の一節が浮かんでくる。天性の詩人の筆なくして写すべくもない情景であり、その形や色や匂いさえも描いて間然するところがない。

両国で生まれ、大川の水で産湯を使い撫愛されて育った芥川の懐旧の情が伝わってきて、縁もゆかりもない者にも何か郷愁を覚えるのである。

面影橋からはじまったきょう一日の漂泊は、この永代橋を渡りきって終わりにしよう。早稲田から門前仲町は地下鉄でわずか数十分の距離である。その直線を大きな半円を描いて何かしらよすがを求めて歩き通したのだったが、そんなものは当然ながら跡形もなかった。

しかし、この江戸の狂言芝居に昔と変わらぬものがあるとすれば、戸板に括り付けられたお岩と小仏小平を運んだ川の流れだった。神田川から隅田川へ流れ込み、小名木川・横十間川と支流に入り、隠亡堀があったとされるいまの岩井橋付近へと流れついたのだろうか。

川瀬巴水　清洲橋　木版多色摺　24.4×36.5cm

『秘蔵浮世絵大観―ムラー・コレクション』（講談社、一九九〇年刊）

河の流れは人にさまざまな思いをめぐらせてきた。こころを和ませもすれば、暗い情念をかきたてもする。川面は微笑むように誘惑もするが、白波は一瞬にして水底へと引きずり込む牙にもみえる。千変万化するその表情に、洋の東西を問わず詩人や作家の想念をかきたてられ、また創造の啓示を受けてきた。

セーヌの岸辺はモーパッサンに「水の上」という奇怪な小説を書かせ、テムズ河に逃げこむ帆船の光景にデフォーはペストの恐怖を描いた。ラインの流れはユゴーを幻視の紀行に誘い、ネヴァ河の霧はドストエフスキーの頭を夢想で満たした。

この江戸の大川端はどのような感興を呼び覚ましたであろうか。北斎や広重はその明媚を描いて世界に知らしめたが、大南北は夜の波に血の臭いを嗅ぎ、江戸時代最高の怨念のドラマを書いたといえるかもしれない。

南北が意識した「忠臣蔵」の世界も得意の裏覗きをすれば、禄を失った武士が生きようと焦り、飢えまいとして足掻いた物語とその目には映っただろう。百五十名近い家臣団が血判状に名を連ねながら、二年後討ち入りに決起したのは四十七士。すでに百名余りが脱落していたのである。

主従の恩義も忠義も禄あってこその話で、敵討ちよりもまずはお家再興こそが大事である。大石内蔵助の奮闘努力も浅野家の存続にあった。が、それがかなわぬと決まって、一人抜け、二人抜けと変心・変節していったのだ。それも組頭や上席の家臣であり、残ったのは小身者ばかりであった。そこに浪人生活への恐怖を見ることもできる。

今の世でいえば、社長の不祥事で会社が倒産、大量馘首された従業員が生活のために苦闘する姿と似なくもない。

赤穂事件は、その生きんがための下級武士の階級競争であり、討ち入りは最後の手段としての暴力革命ではなかったか。

討ち入り後、預かりの身となって幕府の裁可を待つ間、賞賛の風評にひょっとして他藩からの召し抱えを期待した浪士がいたとしても不思議ではない。いや、それこそ内蔵助の最後の願いではなかったか。しかし、幕府の裁定は表向き切腹だが、実際は斬首だった。かれらは国法を犯した罪人だったのである。

後代の世人は忠節忠臣の鑑として大石内蔵助らを祭り上げたが、その真逆の不忠臣もいたはずと南北は武士道をひっくり返して眺めた。それが民谷伊右衛門である。

伊右衛門は、お岩を娶る結納金が欲しさに主家の公金に手を付けるような自己中心の男である。一時の癇癪で一族郎党を路頭に迷わせるような主君に何の恩義があろうか。主の仇討ちなど毛頭考えてはいない。そんな武士の忠義より、ささやかでもいいから人生の幸せを手に入れたい。実際の赤穂藩のなかにもかりにそういう人物がいたとしてもおかしくはない。

伊右衛門は浪人仲間や浮浪人どもと何とか浮かび上がりたい一心で、街を徘徊している。父親を殺して岩を取り戻してはみたが、日々の暮らしに何の展望もない。そのとき、隣家の娘の縁談が舞い込んできたのだ。伊右衛門の狙いは娘もさりながら、仕官先にありつくことだった。たとえ、それが主家の仇高師直の家臣であったとしても。

伊右衛門は天上から下げられた恵の綱を頼みに這い上がろうとし、かれを取り巻く有象無象もまたそれに縋りつく。しかし、命の綱に見えたそれは、岩の怨念によって蜘蛛の糸のようにぷつりと切れてしまうのだ。

ひたひたと音をたてる暗い波間にその藻掻いている姿が見える。この世も大きな川の流れである。みな必死になって、浮かびあがろうと足掻いている。が、ひとり、またひとりと沈んで消えていく。忠臣蔵の義挙の裏に隠れた寄る辺ない庶民の姿を南北は描いたともいえる。

南北は紺屋という当時賤視された染物屋に生まれた。幼名を勝次郎と言ったが、出生時から数奇な運命を背負っていた。子どもが出来ぬ両親が養子をとったら、生まれたのが勝次郎だった。事情があったのか、子のない他家に養子に出されると、今度はそこで実子が出来た。仕方なく戻された実家では養子である兄がお前は貰われ子だ、橋のたもとで拾われてきたのだと弟を執拗にいびりつづけた。後に思えば、実子勝次郎に己の居場所を奪われるのを子ども心にも恐れたからだろうか。

芝居小屋の多い日本橋に育った勝次郎は、地味な稼業より役者の世界をあこがれた。どうしても夢が捨てきれずに、無我夢中で飛び込んだ。以来、三十年に及ぶ下積み生活に耐えた。伊之助、俵蔵といくたびも名を変え桜田治助、金井三笑らの門弟となって修業し、長い雌伏の時を過ごした。

後年になっても正字を書けず、無学無識の無教養者と仲間内で評判であったが、人の意表をつく異才があった。それがまた癪の種なのか、「ろくに字も書けねえくせに」と師匠や兄弟子から苛めぬかれたと伝わっている。後ろ盾のない身では、才も力もない後進のもとで甘んじなければならなかったともいう。そんな不遇な徒弟時代を経てやっと一人前の立作者になれたのは五十の手前であった。しかし、それでも四世「鶴屋南北」の名跡を襲うにはまだ七八年先のことである。

生きんがためには、我が子でも犬猫のようにやりとりし、兄弟相食んで衣食を手に入れなければならない。長じて入った芝居の世界でも師匠は弟子の意匠を盗み、弟子同士は互いに妬みあう。

役者も作者もこの世界で何とかして生き残りたい、浮かび上がりたい一心であったが、思えばそれは大名も武家も町人もみな同じであった。自分が生きるためには人を蹴落とさねばならぬ。人から足蹴にされたくなければ、相手を踏みにじるしかない。浅ましい人の世の姿である。しかし、それを嘆いていればたちまち足をすくわれて奈落の底に真っ逆さまだ。

南北は、その人間の本性を容赦なく暴き、欲望に生きる本能のすさまじさを描くことで独自の境地を開いた。そして、善悪を超越した悲惨と奇怪さを舞台にあぶり出して、観衆の度肝を抜いた。

「この一念通さでおくべきか」という岩の呪いも、「首が飛んでも、動いてみせるは」という伊右衛門の不敵な執念も自身の深奥からの声ではなかったか。そこに刀を筆にした南北の叫びが聞こえてくる。

革命に革命を重ねても、人間は限りなく欲望を膨らませ、富む者と貧しき者の世界は変わらない。富める者はますます強欲を貪り、貧者は飢えまいと必死で喘ぐ。それはいつの時代も変わらぬ人の世ではなかったか。真実の愛を求めながら得られず、色と欲に惑わされて尽きぬ怨みと憎しみを抱いて果てていく。「わがこころのよくてころさぬにはあらず」と歎異抄にあるが、南北もまた「さるべき業縁のもよおせば、いかなるふるまいもすべし」という人間の悲しい存在を芝居で描いたともいえる。

私たちはみな伊右衛門やお岩の末裔であり、お袖直助の子孫なのかもしれない。

そう思った瞬間、ふうっと肩先から何かが抜け出したような気がした。私はようやく永代橋を渡り終えていたのだ。

それにしても一日足を棒にして歩き回った挙句が、こんな洒落にもならない野暮なさげであったとは。

—南北翁、どうか私の浅はかな詮索をお許しください。

私は虚空に漂う偉大な狂言作者の霊に詫びながら、異界に別れを告げたのであった。

〈エッセイ〉

# 日々の対話抄　二〇二〇年七月

立野正裕
阿部修義

はじめに

ここに掲載するのは、二人の友人同士による日々の対話の記録である。対話と言っても筆談によるものである。記録に残されたのもそのせいだが、記録を残そうと思って二人が言葉をやり取りしてきたわけではない。フェイスブックに付設されたメッセンジャーという私的な通信サービスを利用しての私的な会話にすぎない。

昨年（二〇二〇年）一月から七月の分をわたし（立野）は日記に転写（コピペ）してあらためて読み返すうち、ふと気がついた。このやり取りには二人の人間の日々の思索ないし想念が断片的ながら書き留められている。それぞれの人生観や死生観、芸術観や社会観らしき考え方もなにがしかは反映している。それが筆談対話の体をなしている。形式的にまとまりも構成もなく、断片的に語り合われるにすぎないとはいえ、同時にたがいの真情の披瀝ともなっている。

阿部修義さんとわたしが知り合うきっかけとなったのは四年前ないし三年前、スペイン哲学者・佐々木孝先生のブログ「モノディアロゴス」のコメント欄を通じてであった。（阿部さんは本誌第三号に、佐々木先生の著書『モノディアロゴス』第十四巻「真の対話を求めて」の書評を発表している。）

一昨昨年（二〇一八年）暮れに佐々木先生が亡くなられた。そのため以後はわたしのフェイスブックもしくはメッセンジャーのコメント欄に、阿部さんは意見や感想を書き込むようになった。そのつどわたしからも応答の文言を書き入れた。コロナ禍による自粛要請によって外出の機会がたがいに減少した時期と重なり、いきおい筆談による対話の回数は増えた。昨年になってから以降がとくに目立つようである。ここに七月の対話のみを掲出することにしたのは全文は膨大な量にのぼるからである。

コロナウイルス禍の不自由な日々が続くと、皮肉なことにその不自由さこそ、かえってわれわれの対話をうながすようである。そればかりではない。相互の思索を披瀝し合うことを続行可能にする条件を、コロナ禍そのものがかたちづくっているとも言える。その意味から、二人が続けているささやかな筆談対話は、われわれが自己に沈潜し、日常のなかに埋もれがちな自己を見つめ直す一つの機会でもある。

対談は立野の日記からそのまま抜き出した。とはいえ、ときに第三者の文言も交えられる。第三者の目が対談の性格をいっそうはっきりさせるようである。

公表を予想せずにしたためられてきたわれわれの対談だが、本誌への掲載を阿部さんはこころよく了承された。その寛大と友情に感謝する。なお再録にあたり、文責は立野が負うものである。（立野正裕）

**七月三日金曜日**

阿部氏宛て、メッセンジャー欄（以後M欄と略称）に書き込む。

「おはようございます。どういう郵便事情でしょうか、お手紙がまだ届かないようです。フェイスブック（以後FBと略称）にも出しましたが映画『モリのいる場所』をたいへん面白く見ました。よく知られるモリの言葉が要所要所にちりばめられていますね。」

返信あり。

「一日のお昼に投函しましたので、今日着くはずです。映画は見てませんが、なんとなく、ユーチューブのさわりの部分をみただけですが、山崎努、樹木希林は適役のように思います。」

「なるほど、それで得心が行きました。」

「先日の騒音の件、案の定昨夜怒鳴り込んで来ました。警察に通報して、今朝生活安全課の人と話して来週担当エリアの交番に行くことになりました。一瞬、恐怖を感じるような出来事でした。これも人生と思って、ここで愛を以て対応できるかが自分の課題だと冷静に考えています。」

「恐ろしいですねぇ。やはり尋常ではありませんね。警察が適切に対応してくれればいいですが、とかく事後の対応になりがちですから。」

「確かに、恐ろしいことですが、私の愛読書ヒルティは、愛はすべてに勝つと言っています。怒りより、愛に根差した対応を実践する機会だと思っています。やられたら、やり返すのではなく。こういうお話しは立野先生だからしています。立野先生が言われる「非暴力主義への志向」も、平穏無事な生活なら容易かもしれません。しかし、今回の私のように理不尽なことであってもできるかが大切です。相手に襲われても手を出さない覚悟。だからこそ、警察と連携して、相手も罪人にならないように最善を尽くしていきます。」

**七月四日土曜日**

M欄に阿部氏から来信。

「お手紙届きましたか。」

返信する。

「きのうは体調すこぶるわるく、階段は雨と風で吹きさらし、エレベーターは乗るのが躊躇され、ようやくこれから階下のメールボックスを見てくるところです。……

いましがた階下に降りました。お手紙が届いていました。ありがとうございます。一読させていただきました。拙著をひもとかれているよし伺い、ありがたく思っております。」

「ご体調大丈夫でしょうか。寒暖差と湿気で体のコントロールがうまく働きにくい時期ですので、お気をつけくださいい。ご著書を机上に置いて、読みたいという気持ちが高まるときに、集中して何ページかめくっています。場合によっては、ほんの数行を数十分考えている時があります。「口舌の徒」は、今の自分の心境にピッタリと当て嵌まります。「創造的憤怒」ということを考えています。」

「おとといクリニックに行き採血しました。アレルギー症状です。

それはそうと、今道友信さんのパリ貧乏時代の随筆をＦＢに挙げておられましたね。一読してあったのですが再読して、先が分かっているのに感動しないではいられませんでした。取り寄せた『出会いの輝き』にもだいたい同じ内容のエピソードが綴られておりますね。状況は異なりますが似たようなありがたさを感じた経験がわたしにもあり、その小さな経験あるがゆえに、その国と人々への好意を損なわれずにすみました。今道さんのやさしい文章もいいですね。これまで読まずに哲学者ということで敬遠していましたが。

拙著も論文をおもに書いていたころは硬い文章です。簡潔と硬さは似て非なるもの、誰に向かって語るかを明確にさとるまでは、わたしもアカデミズムに思考がからめとられていたのだろうと思います。

サイードは亡くなりましたが、自分が漠然と考えていたことが「創造的憤怒」の概念で一挙に説明出来るようになりました。サイードの生き方そのものこそ創造と怒りを統合したものだったと思います。体調がおかしくなったのはこの数日間ちょっとコンを詰めて仕事をしたせいかもしれません。締め切りが続いて、一つも落としたくないと思いましたから無理がからだに出たのでしょう。その甲斐あって、全部いちおう仕上げられました。」

「「創造と怒りの統合」。怒りの分析ではなく創造を加味した統合。この統合に「宗教的心がまえ」に通ずるものを感じて考えています。そして、それを実践でどう応用させるか。そこが大事です。結局、私の本に対する考え方は、読了して本棚にきれいに並べることではなく、考える時間を自分に与えてくれるものを本に求めていたのだと思いました。ヒルティと同じものを立野先生のご著書から感じます。お手紙の中で言いたかったこともそこなんです。」

「わたしのほうが教えられること大です。しかし、おかしいというか、滑稽なのですが、平井さんと会って語り合うたびにわたしが口にしていたのも、阿部さんがお書きのように、失望と落胆をどのようにクリエイティヴな力に作り替えるかだったのです。」

「ちょっとした一日の時間でも集積されたら大きなものになっていきます。立野先生、佐々木先生、そして、今道さんら大学で選りすぐりの学究の方たちに共通したものだと思いました。クリエイティヴな力を顕在化させるのも、この継続力と確固たる信念、哲学がなければならない。一朝一夕に事が成就することはないと思いますね。」

「わたしなどはとてもとても。しかし、佐々木先生や今道先生の日常は確かに一刻一刻の積み重ねだったと思います。点滴ねばり強い継続と揺るぎない信念。点滴孔をも穿つといった凄さですね。」

「立野先生もそうです。講義の下準備なしで縦横無尽に繰り広げられる物語。誰もができることではありません。そして、四半世紀におよぶ実践としての巡礼の旅。肌身で実際に感じられたことを文章に、詩にと創りあげる。すばらしいの一言です。」

「ありがたくお受けします。現役時代の書類をコロナ自粛中に整理していて、落胆と徒労の日々を思い出させる自分の書き物がどっさり出てきました。きっとそれらを書き付けることで、書かれた時点での辛さや失望と訣別しようとはかったものでしょう。四十代も半ばになって「塹壕の思想」にいたりついたのも、実際にフランドルの戦跡に出かけ、今も残るジグザグの塹壕を目の当たり見て、若者たちはこんなところにうずくまりながら、恐怖と不安とたたかっていたのだと思いをしきりに馳せていたことがきっかけでした。学会でいくら研究発表を聞いたところで、あの衝撃と現実のもたらす重みを、自分の五体で受け止めることは出来なかったと思います。」

「読者を考えさせ動かすものは、そういう経路をたどったものでなくては不可能だと思います。立野先生にはそれがあります。佐々木先生の『モノディアロゴス』もそうなんでしょう。ヒルティが「力の秘密」の中で、こう言っていますが真実だと改めて思いました。

『文学の上でも、まず苦難なくして、決して偉大なものや真に善き作品が作成されたことはない。苦難がはじめて人間の中になみはずれた思想をもたらしてくれる。テニスンやカーライルはそのような例であり、ダンテはさらに大なる実例である。これが欠けている著名な詩人がなかなかいるが、彼らの言には真の力がない。』

この「真の力」が立野文学にはあります。」

「『真の力』！　じつに重い言葉です。しかし苦難のことは分かります。佐々木先生の教師としての遍歴を、淳さんがFBに掲出しているので、それを再読しながら思い返すのですが、自分もそれに連なるような閲歴の持ち主であることを再確認するとともに、辞表を叩きつけずに退職まで同じ職場にとどまったのはなぜかと自問します。我慢強かったからか、逆に臆病だったからか、とにかくました。そして長のつく役職には絶対につくまい、おだてにも乗るまい、義理もへちまもあるものか、一介の平教授のままで、ゲリラのようにやりたいことをやりたいようにやろうと思いました。

ダンテこそは「創造的憤怒」のこの世における最高の具現者の一人です。

先年ボローニャに行き、大学の書籍部で地獄編の英訳を見つけて購入し、宿にかえってボローニャの町が出てくるくだりを読んだものです。ダンテをしきりにわたしに勧めてくださった大学時代の恩師・橘教授が、ウナムーノやオルテガも読めと言ってくださった。そういう学恩が教師になったわたしをどこかで支えてくれたと思います。その恩師もまた疎外の経験を持つ人でした。」

昼まで阿部氏と筆談対話。ヒルティを阿部氏は愛読しているのでしばしば言及される。しばらく前にヒルティ晩年のエッセイを送られた。読んで後半に感じるところがあった。宗教的心がまえのいかなるものかを考える上で重要な提案がなされている。

### 七月五日日曜日

阿部氏からM欄に。

「ご体調大丈夫でしょうか。」

返信の前に日記を書く。

きのうは伊藤君に二子玉川まで来てもらい、「えべっさん」で打ち上げをした。ブックレットの原稿提出が済んだからだ。九時で閉店となったので溝の口駅前の「初代」に移り、同君の終電まで付き合ってもらった。蹌踉たる足どりで帰宅するなりベッドに倒れ込んだ。

昼まで寝ていたから睡眠は足りているはずである。起きるなり痒みに悩まされる。昨夜はクスリを飲まなかったのかもしれない。

外出時に持参したバッグを探したが部屋のなかに見つからない。昨夜は相当酩酊したため何処かに置き忘れたかもしれない。テーブルの上に財布、携帯電話、紙幣、パスモ、そのほかメールボックスから取り出した郵便物、それに二子玉川で購入した写真の簡易フレーム三つが置かれている。バッグには札入れが入っていた。クレジットやキャッシュカードの大部分は別にして肌身に着けているが、みずほのクレジットつきキャッシュカードをその財布に入れていたことを思い出した。取りあえず銀行に電話してカードを無効にしてもらう。次いでクレジットカード会社に連絡して無効にしてもらう。これで預金は無事だ。

ほかにもカードが入っていたはずだが、種類がありすぎて確かな記憶がない。口座にアクセスできるカードかどうかもはっきりとは分からない。バッグの中身で重要なものはほかにはないと思うのだが。

### 七月六日月曜日

雨。阿部氏宛てM欄に返信。

「きのうはちょっとしたことがあったため、終日ばたばたしておりました。体調は大丈夫です。」

「安心しました。私も昨日は担当エリアの交番で三十分ほど話して、巡回をお願いし了解してもらいました。今回の問題を立野先生が言われる「口舌の徒」で応用してみようと思っています。物語の一幕は巡回です（笑）。それにしても九州のほうでは大雨被害で大変ですね。ここ最近、こういう被害が続いているように思います。

「憤怒と創造の統合」を考えると、相手を逆に常識ある良い人間と考え、逆に謙虚に自分がなるように考える。これが第二幕です。憤怒というのは、不完全な自己を考えないと生じるもののように思います。

「非暴力主義への志向」。これは、自分の内部に大きくかかっていることを改めて感じます。一歩踏み込んで言えば、立野文学とは、困難なことに立ち向かう勇気を与えてくれるもの。そんなことを感じています。」

「ことは日常の隣人問題とはいえ、困

難であることは事実ですね。うかつに助言などできることではありません。」

「それを私なりの物語を創ることに変えてみようと思います。人間を知る。私には長年愛読しているヒルティの思想を物語の根幹に入れようと考えています。人間というのは大概の人は、褒められれば喜び、貶されれば怒るものです。相手を良い人と想像することが大切なことのように思います。」

「そのとおりですね。批判も必要な時がありますが、褒めるというのは大半の場合最良の対処法であると思います。わたしもだいぶ修行させられました。会得ないし体得とまではいきませんが。」

「重いお言葉です、立野先生の言葉は。批判する場合は、相手がその言葉を聞く耳があるかどうかを判断することが重要ですね。その判断を教養と言っても良いかも知れません。クイズ番組の優等生とは違うものですが。

「塹壕の思想」。少し見えてきたように思います。立野文学は命がけで人生を歩んでいかないと、その深いところを見逃してしまいます。「非暴力主義への志向」も具体的方向性もおぼろげながら示してくださったように感じています。」

「塹壕の思想はおよそ英雄主義とは対照的なものと思います。平和主義を掲げて出馬しても政治家は選挙に勝てない。非国民と罵られても反戦と非暴力を貫くには英雄主義とは次元を異にした別の力が必要でしょう。その力をどのようにして身につけるかですね。至難のことです。武術や剣術をやって強くなりたいという誘惑こそ、暴力是認につながりかねない願望ですし、やられたらやり返すの思想、やられる前にやってしまうという思想の是認に進んでゆく道にほかならないと思います。」

「「次元を異にした力」。少し考えてみようと思います。

不完全の権化のような自分ではありますが、この「真の力」を養っていきます。ヒルティの「愛」にも頗る密接なものだと確信しています。考えてみれば、佐々木先生は、この「真の力」を成就された人のように思えてなりません。ブログで奥様の介護ほど自分に生きる勇気、希望を与えてくれるものはないと言い切られていました。」

「かつて須山先生とのあいだでfortitudeについて語り合ったことが思い出されます。先生はご自分のことを、わたしは名前のとおり静かなる男ですから、と言っておられました。他人には想像出来ないような不幸を経験されながら、いつも穏やかな人柄を保っておられたものです。そして佐々木先生もfortitudeの人でしたね。」

「私の間違った解釈かも知れませんが、ある意味、「憤怒と創造」を統合する達人のようにも感じます。そして、行き着くところは限りない「静謐」の世界。大方の人間は自分の不幸、災難を恨み、嘆き悲しんで自暴自棄の世界に迷い込みやすいものです。」

「この世の不公平さや運命の理不尽さを恨み、憎悪し、怒りをぶちまける者のほうが多いのが現実でしょう。生老病死のすべての面でそれが当てはまるでしょう。少年時代の自分を振り返って、グレてもおかしくなかった一面がありました。そういう危うさからわたしをもし持ちこたえさせたものがあるとすれば、それはやはり文学だったと思います。幼すぎたので哲学や思想的なものは敬遠しましたが、小説の魅力には少なからず救われました。そしてまさに小説から、わたしはのちに自分の思想的な核となるものをつかんだように思っています。」

「現実に今与えられている自分の問題をめぐって試行錯誤しながら、ある意味勇気をもって自分の物語を仕上げ、一件落着に終わらせたら自ずと見えてくるようにも思います。私は、まだまだ人生の苦労が足りないと痛感しています。」

「その点、同感ですね。七十歳をとっくに越えたはずのわたしも、ピレネーのロランの切り通しはまだ越えられずにおります（苦笑）。」

「立野先生という人に巡り合えたことを、何とか自分の人生において活かせたらと思っています。「勇気」ということがキーワードだというところは何となく感じています。その「勇気」を与えてくれるものが立野文学にはある。そう確信しています。」

「そのように読み取っていただけることこそ著者にはなによりうれしいことです。読者の方からごく稀にいただくメッセージに、ひと言拙著からの引用が書き付けられていることがあり、不思議なことにそれを読んでかえって著者のほうが勇気づけられることもあるのです。いちど自分から投じられた言葉が帰ってくるとき、著者自身も力を身につけることになるわけです。そういう言葉が読者とのあいだに作り出されるのが文学ではないかと思います。」

「すばらしいお言葉ありがとうございます。そして、今考えているのは風諭ということです。例えば、女房が毎朝麩の味噌汁ばかりだして、麩ばかりだと言えば波風が立ちますが、「俺は金魚じゃないよ」といえば、相手の心にも響いて自分の言いたいことも伝わる。物語の一場面で、風諭を効果的に使おうと考えています。」

「いやあ、それ、それです。口舌の徒のレトリックはそうでなくては。」

## 七月七日火曜日

このところ、M欄を通じて阿部氏との筆談対話を続けている。たがいに数行のやり取りを数ラウンド重ねるだけであるが、阿部氏が真面目な人だからこちらも真剣になる。阿部氏から手紙を始終もらうが、筆談対話のほうが思考の凝縮が顕著だ。

バッグが見つかった。うれしいよりも驚いたし、信じがたいくらいだ。というのはまったく中身が無事だったからである。発見の次第は次のとおり。

あれから考えていて、遅ればせながらやはり紛失届を出しておこうと思い、近くの交番に出むくため階下に降りた。ちょうどメールボックスの反対側の壁際のやや凹みになっているところに連絡用ボードが置かれている。そのボードの脚の部分にバッグは置かれていた。もちろんわたしがそこへ置いたにちがいない。土曜日の晩、メールボックスをあけようとして手がふさがっているため、いったん小銭入れを取り出してから、そのままバッグをボードの脚元に立てかけた。そのまま上に上がってしまったらしいのだが、バッグをからだから離すというのが常ならず酩酊していた証拠である。

　しかもバッグはチャックがあいたままであった。にもかかわらず札入れもなくなっていなかった。札入れのカードも無事だった。今朝カード会社に連絡して無効にしてもらったばかりだった。五種類ぐらいのカードを無効にしてもらったが、一週間から十日待てばまた送ってもらえるという。

　土曜日の夜は遅かったから人目に触れなかったのだろうが、日曜日早朝からきょうまでバッグが誰に持ち去られることもなく、同じ場所に鎮座していたというのはちょっと驚かないわけにはいかない。

　FBにネミ湖の絵を掲出。阿部氏からM欄にコメントがあった。

「ターナーの『金枝』に描かれた湖ですね。」

「そうです。ネミ湖です。湖畔へ向かって下りて行く人物がなんとなく自分の後ろ姿のような気がして。」

「なぜか、朱鞠内湖のことが思い浮かびました。歴史に向かっての想像力と思考。立野先生にはローマの鐘の音が聞こえたのでしょうね。」

「わたしがここへ赴いたときは真冬でした。雨が降っていました。フレイザーにローマの鐘の音が聞こえたのなら、自分もその音色を聞き届けたいものと思って出かけた冬の旅でした。サナブリア湖のときも、ウナムーノが湖底から聞こえてくる鐘の音を聞いたのなら、わたしも自分の耳でその音を聞き届けようと思いました。わたしの言葉ですが、「物語に自分を縫い込む」ことなしには、物語の伝える真髄をわがものとすることは出来ない、と常々考えております。」

「一九九六年。フレイザーがいう「のちの読者」ということですね。「物語に自分を縫い込む」。すばらしい言葉です。なにか、自分にも当てはめて考えなければならないものを感じました。」

「自分が目指している文学にとって、学会の研究発表の類いがしょせんは縁なきものと思い定めたのはかなり早い時期です。ある意味では学者生命を自ら抛擲したようなものですが、それでよかったのです。客観主義をもって学問とみなす世界に自分の真の居場所などあるはずがないと悟りました。残された道はかなり孤独な道と分かっていましたが、そこにしか自分にとっての文学の存在理由はないとも思っていました。」

「立野先生が言われていた文学における「当事者意識」と「宗教的な心がまえ」に通じるものを感じます。客観主義でなく、己の内部を通じて考えるということのようなものを。」

「まさにおっしゃるとおりです。おのれの内部を通さなくても研究は出来るし、業績も挙げられるわけです。博士にもなれる。しかし、その人がどのように変わったかは別問題です。優秀な人材が輩出する。けっこうなことです。しかし、それら優秀な人々とだいぶ付き合って分かったことは、かれらには一様におのれというものが不在であることでした。学問研究者という名のロボットにはなりたくない、なってもむなしい、と思いました。自分の文学が自分の日々の生活なり、思考なり、生き方なりのなかに生きて動いているのでなければ意味はないと思いました。」

「全くその通りだと思います。社会に貢献できる文学の可能性があるとすれば、そこだと思います。」

「哲学でも、わたしにとっては従来ニーチェがほんものの哲学者にして思想家でした。あるいはキルケゴール、そしてウナムーノ、オルテガ、ヴィトゲンシュタインでした。かれらは自らの哲学の具現化された存在として生きかつ死んだ人々です。おそらくヒルティもそうでしょう。そういう人物の思想だけがほんとうの意味で信頼するに足りる、と思います。」

「「哲学の具現化」。まさに、ヒルティはそうです。ヒルティは概して、形式的なものより己の内部を通じて感じたことを重要なものとしていました。「哲学の具現化」とは、そういうことだと思います。

『スクリーンのなかへの旅』の「それぞれの黄金の谷」を読み返していました。立野先生の巡礼の旅も、まさに、「哲学の具現化」ではないでしょうか。」

「かつての自分の文章のなかで、読み返すとつらくなるものがあり、「それぞれの黄金の谷」も個人的にそういうつらい文章の一つです。」

「立野先生が言われる「塹壕の思想」も、困難な道への文学的処し方のように思います。」

「比喩的に拙著に即して言えば「ネミ湖への道」を歩き続けることですね。あるいは「コルイスク湖への道」、「ピレネーへの旅」を歩くと言ってもいいですし、を想起してもある意味では同じことであるわけです。困難さは主に内部にあります。外部の困難さは容易に乗り越えられる。乗り越えがたいのが内部の峠、尾根ですね。西行や芭蕉もその困難さを知り抜いていた人々だったと思います。いずれそのうち、かれらについてこれまで自分なりに考えてきたことを文章にしてみたいと思っています。」

「「物語に自分を縫い込む」。憤怒と創造の統合において、その創造の中で自分を主人公におく。」

「うまくいかないときも多々あることはありますが。」

「うまくいかないことは、必要不可欠なものであり、そのことによって自分の心をさらに掘り進められる。徒労と落胆なしに、優れた文学はあり得ないと私は思います。」

「「徒労と落胆なしに優れた文学はあり得ない」。それこそ胸に深く刻みつけねばならない言葉です。ここに応答するのに七時間もかかりました。」

「文学にとって「真の力」を産み出すものがあるとすれば、文章を執筆された人の人生においての苦難（徒労と落胆）の軌跡のように思います。人間は、苦難によってしか自分の内部を掘り進めることはできない。美辞麗句や難しい語彙が並べられた文章には、人を動かし励ます力はないんだと思います。」

「「人間は、苦難によってしか自分の内部を掘り進めることはできない」。この言葉もわが胸にいよいよ深く刻まねばならない言葉です。なんと言っても煩悩が強いため、とかく忘れてしまいそうになるのです。」

「立野先生が言われた「次元を異にした力」。この力と密接に関係しているように、しばらく考えていて感じます。人間は己の我欲の世界の中にいる限り、必然的に越えられない壁があり、その壁を超えるには「愛」が必要だと私は想像します。究極の苦難が自分の死であるならば、おそらく、大方の人は、その時「愛」を志向するように思います。まさに、黒澤明監督の『生きる』の主人公のように。」

「確かに『生きる』は重要な作品ですね。ただここでわたしの連想に来たのは、小説ですがトルストイの『イワン・イリッチの死』でした。この物語が、人間にとっての究極の苦難である死に際して、主人公がその苦難をどのように乗り越えるかを問うているからです。そして乗り越える契機はやはり「愛」にあります。死にゆく人間が、死に際してなお他者を助けることが出来る。そのとき死はすでに乗り越えられている、とトルストイは言っています。

　イメージとして言うならば、雪がしんしんと降る晩、完成した公園のブランコに乗って主人公が口ずさむ「ゴンドラの唄」のようなものでしょうか。雪に関連してさらに言えば、同じ雪でもわたしにいっそう強く印象付けられているのは、ジョイスの短編小説とその映画化作品である『死者たち』のほうです。その晩、アイルランド全土には雪が降りしきる。野原にも、川のおもてにも。そして物語の最後近くにこういう言葉が記されています。

「年とともに惨めに衰えてゆくよりも、なにかまばゆい陶酔のうちに、敢然と彼方の世界へ旅立つことこそずっとましではないか」と。」

「本棚に置いた『漂泊』のフォトフレームを今一度読み返しています。」

「漂泊」を阿部氏はとくに好むと言ってくれる。嘘でない証拠に、故佐々木孝氏のブログにも寄稿の際引用しているほどである。

　ジョージ・イネス画『三月の風』をFBに掲出。イネスは十九世紀アメリカの風景画家。絵画の上ではバルビゾン派の影響を受けているが、思想的にはスウェーデンボルグの神秘主義の影響を受け、自然を宇宙からの啓示のもとに見ようとした。

阿部さんからのコメント。M欄に。

「この荒涼感が、私の心の風景と微かに共鳴しています。しかし、なぜか、希望のようなもの（一条の光）を、ここに確かにある「静」から感じています。」

「この絵は『三月の風』と題されていますから、春の息吹きが一条の光として感じられるのかもしれません。風が光を運ぶ、というイメージに心を引かれます。」

「『風が光りを運ぶ』。すばらしい言葉ですね。雲も活き活きとしたリズムを感じます。」

**七月八日水曜日**

午前七時過ぎ。曇り。シーラッハ作『コリーニ事件』を読む。

**七月九日木曜日**

阿部さんよりM欄に。

「ドゥエンデということを長い間考えていますが、私には今一つわかりません。「憂い」ということと関係があるのではとも思いますが。人間には潜在的に、心のどこかで、自分は必ずいつか死ぬものであるということを意識の中で持っていて、それを顕在化させるものが「憂い」であるならば、ドゥエンデとはそういうものなのかと試行錯誤しています。」

「言われるように、定義するのがむずかしい言葉の一つです。ロルカが考えていたドゥエンデのイメージがあって、わたしはそのイメージからかろうじて推測しているだけですが。老いたフラメンコの踊り手、または練達の闘牛士の身ごなしのなかにそれが現われる、とロルカは言っています。」

「三年前の渋谷での立野先生の講演会で、「老いたフラメンコの踊り手」に最大の賛辞が向けられたというお話しがあったのを思い出しました。抽象的な言い方ですが、ドゥエンデというのは究極の「静」の中から浮かび上がるものなんでしょうか。」

「そうかもしれませんが、そうであるとしても、「動」のなかの「静」なのでしょう。『トルソー』四号の一二六ページ以下をご参照ください。ロルカのドゥエンデ論をそこで要約しています。」

「「動」の中の「静」。少し考えてみます。「命の瀬戸際で演技をしていながら、観衆にそれをまったく感じさせない、あたかも優雅な音楽のレッスンを思わせるような演技のなかにこそドゥエンデは宿る。」」

「ロルカを読む前のわたしはまだドゥエンデを言葉としても知らなかったので、漠然と風土の根源をなすもの、そのなにかを日本語で言うシコと関係させて考えていたものです。長嶺ヤス子というフラメンコの踊り手がアンダルシアに留学した際の経験、それから田中みん（サンズイに民です）がニューヨークから帰国して夜の月との関わりのなかで見いだした風土性、これらを手がかりにわたしが書いた試論が『根源への旅』の第二部第五章「太陽の踊り・月の踊り」です。ドゥエンデのイメージや概念を踏まえて書き直せばもう少し具体的に踏み込むことも出来るかもしれません。

風土と民俗との関わりでわたしは遠野物語の深層に横たわるものを、意識化された次元へと浮かび上がらせたいと思っているわけです。それがあるいは土着の芸能である早池峰の神楽の伝統の奥に、手がかりとして見いだされるのではと考えたりもしていました。」

「「第五章　太陽の踊り・月の踊り」を一読しました。ここも少し考えてみます。「しぐさ・身ぶり・姿勢。いずれもクセと密接な関係がある。それらが「人間関係をととのえるための精神・身体的表現」にほかならないとすれば、その起源には「風土」が介在している。」ここを考えてみます。」

やや時間が経過し、阿部さんから。

「立野先生が言われる「土俗の想像力」は、この「風土が介在している」ことと関係性があるように感じます。」

「自分の才能のなさをうらむほかないのですが、わたしはロルカの後期三大悲劇を知って一大ショックを受けたものです。アンダルシアのグラナダから三つの悲劇が生まれたように、東北岩手の遠野から三大悲劇が生まれなくてはならない。賢治も喜善もロルカが書き上げたような文学の創造を目指していたがゆえに、互いの理解が深められた。志半ばで二人とも相次いでこの世を去りましたが、誰かがあとを継がなくてはならない。かれらが現代の悲劇創造の源をなすイメージをオシラサマやザシキワラシという土俗信仰に見いだしていたことが確かとすれば、それをロルカの『血の婚礼』のような情念の猛り立つイメージでなまなましく描き出さなければならない。そうでなくて、なんの遠野物語ぞ、とそういうふうに夢想しつつ、あっという間に年たけてしまったわけです。

宮澤賢治と佐々木喜善が肝胆相照らし、オシラサマやザシキワラシをめぐって互いの知見と思索を披瀝し合う仲だったことが、わたしの関心を掻き立てますが、そうなると『根源への旅』の続編を書かねばなりますまい。なぜなら、オシラサマだけ取ってみても、あれこそ馬と人間の、風土に深く媒介された結びつきを象徴する遠野のドゥエンデの具現化された信仰にほかなりませんでしたから。」

## 七月十日金曜日（FBに掲出）

十五年前、ひと夏かけてノルウェーを旅した。そのおり、テオドール・キッテルセンという挿絵画家を知った。

この絵の原画をオスロで見たときこう思った。

ああ、ここに描かれているのは自分だ。
自分が旅しているのだ。
憧れの国を求めて何処までも、
そしていつまでも旅し続ける少年。
旅人よ、少年の心を失うな。
羈旅半ばではやばやと老いさらばえ
　てしまわぬために。
少年よ、旅人の心を失うな。
探求こそ人生そのもの。
死もまた探求途上の中継地なのだ。

「文学の想像力の不思議な親縁性のはたらきによるものでしょうが、ノルウェーへの旅の十年後、わたしはイタリア南部のバジリカータ州でまさにこの絵を髣髴とさせられるような情景ないし光景に遭遇しました。といってもあながち偶然ではなく、カルロ・レーヴィの『キリストはエボリにとどまりぬ』の一情景を求めての旅でしたから、遥か彼方にそれが見えたときは、ああ、ほんとうだ、作者が目の当たりにしたのと同じ光景だ、と感動しました。さながら天上に浮かぶイェルサレムが出現したかと見まがわれた、とレーヴィは書いていました。

　そのときレーヴィは反ファシズム活動により流刑にされた政治犯として移送されてゆく途中でした。当時バジリカータ州はキリストも足を踏み入れるのを断念したと伝えられるほど荒涼とした不毛の地。そういう風土に流されながら、聖地イェルサレムのヴィジョンを目撃したレーヴィは、自らの流刑地に魂の故郷を見いだします。そして解放後、芸術家・政治家として稔り豊かな生涯を送ったのち、遺骸をかつての流刑地に葬ってくれるよう遺言しました。」

　阿部氏から。

「最後の一行が、心に響きます。「死もまた探求途上の中継地なのだ。」

　多くの人は、ただ結果さえよければと思いがちです。儲かればよい、健康であればよいと。しかし、人生において、大事なことは過程だと私は思います。「死」をも「中継地」と考えて、どこまでも未完成な自分をより深く探求し続けることにこそ人生の意味がある。私は、この最後の一行に、そんなことを感じます。」


阿部氏へ。

「人は直線を進んで行くと思いながら、そのじつ大きく円を描いてもとのところへ戻ってくる。ただし探求の道は同一の平面にはなく、高低差を伴う。そのため螺旋を描くようにして回帰する。帰還する旅人がもとの地点を見いだすとき、それをいくぶんなりとも標高を異にする位置から眺めることになる。長年旅を続けているうちに、だんだんそういうイメージで自分の旅を思い描くようになりました。」

「武蔵が吉岡門下を斬った後、祇園の芸者吉野太夫に逢う。そこで吉野太夫から「あなたは鋭すぎる、そんなに肩を張りつめていては、三味線の糸のように切れてしまう」というところの由来は、ある料亭で、吉川英治と吉村岳城が人間の余裕という話になって、薩摩琵琶で日本一といわれた吉村岳城がいきなり自分の愛器である琵琶を真っ二つに叩き割って、吉川英治が中をのぞくと、わずかなすきまが作られていて、岳城が、「このように見えないところにわずかかずつすきま、余裕があるから、張りつめた琵琶の音色になる。このすきまがゆるくとも、はりつめていすぎていても、琵琶の音色はだめだ」と言ったことに、吉川英治が、「それをもらった」と言ったことを思い出しました。

　小説の一節を考えるにしても、こうした一流と言われる人物との出会いが不可欠ではないかと私は思います。真実はすべてに通じるように感じます。また、その真実を察知できる力量を自らが作り上げていく努力も必要だと自戒を込めて思います。」

「含蓄に富んだ挿話ですね。じつにいいお話をうかがいました。

……記憶が遠くなっていましたがようやく思い出しました。武蔵と吉野太夫とのやり取りです。映画にも描かれている場面です。まさしく阿部さんが紹介された岳城と作家の対話を踏まえていますね。」

「先日、立野先生を熊谷守一美術館にご案内させていただいたことを思い出しました。守一は、晩年の数十年、千早のご自宅の庭を散策され、蟻や蝿、カマキリなどの昆虫や木々と戯れながら、気が向いたときに絵筆をとられて作品を創作されました。そのことと立野先生の四半世紀あまりの巡礼の旅。絵画と散文、詩とは、芸術の分野は違っていても何か心の通じる人生の真実という共通するものが、それぞれの作品の表現の奥深いところにあるように私は思えてなりません。今後、立野先生が守一を執筆されるのを楽しみにしています。そして、そこから辺境の精神というものを少しでも感じたいと思っています。」

## 七月十一日土曜日

　阿部氏のきのうの書き込みへの応答として。M欄。

「守一にとって自宅の庭は尽きせぬ好奇心を満たしてあまりある空間だったのでしょうね。蟻が歩き出すときは左の二番目の足を初めに動かすと主張して止まなかったのは面白いですね。昆虫学者に言わせれば蟻の生態はそうとは決まっていない。しかし守一は終生自己の主張を曲げなかった。わたしはフレイザーが受けた批判と応答を思い出しました。

ネミの湖水まではローマの鐘の音は聞こえて来ない。ある学者にそう批判されて、フレイザーはこう応えています。そうかもしれないが自分はネミ湖の畔でローマから聞こえてくる鐘の音を聞きたいのである。こうして発言を最後まで撤回しませんでした。

　また、ウナムーノにも同じような頑固さのエピソードがありますね。ドン・キホーテに関するあやまちを指摘されたウナムーノは、指摘の通りだが自分は訂正しない、訂正すれば自分のあやまちをとおして経験されたある神秘的な作品との交感が失われてしまうからだ、と言ったのです。

　いわゆる学問的真実を金科玉条としない、独自の真実の次元を生きている人ならではの頑固さ。他人に押しつけるのではなく、自己の次元を妥協せずに生きようとする意思を感じます。」

「立野先生。少し角度を変えて考えると、守一が、自分で納得のいく作品には敢えてサインをしなかったということにも通じるように感じます。普通の人間なら、間違いなく、これは自分の作品だと主張するはずです。サインをしなかった作品を、人がほめたたえようが、貶され、酷評されようが、己の心は、納得のいく作品ができた、ただその一点で安心立命の境地でいられる。人の世の毀誉褒貶をこえた、その人物と出会った誰もが、それとなく風韻、風趣を感じさせる人間の姿のように私は思います。」

　別件、阿部氏からM欄に。

「この黒猫が見ているものは、一方は目に見える世界、羊の親子に象徴される平穏無事の穏やかな光景。しかし、もう一方ではコロナに象徴される目に見えない恐怖の世界。ご著書の中で引用された『白鯨』の一節を覚えています。立野先生が、この絵をご覧になって「自粛」を思い浮かべられたのも、何となく私にも伝わってきます。目の前の穏やかな羊の親子が尚更、目に見えない恐怖を際立たせているようにも私には感じられます。」

　わたしもM欄に。

「守一が、自然がこんなに美しいのだから白いキャンバスにほんとうならなにも描かないのがいちばんいいのだが人間は仕方がない、としみじみ語っていたのを思い出しますね。」

「『白いキャンバスにほんとうならなにも描かないのがいいのだ。』私のような人間には決して言えない言葉です。単純化するほど自然に近づくと守一が言ってたのを思い出しました。なにも描かないことは、究極の単純化ということなのかと、ふと、思いましたが。」

「うまい絵を描こうとする心根そのものが下司根性なのであり、自然の美しさに対する身のほど知らずな傲慢不遜以外のなにものでもないのかもしれません。どのように描いても自然にはかなわない。それをわきまえない者はしょせん俗気を脱することが出来ない。」

「立野先生にご教示していただきました。黙って、頷いています。」

「いや、わたしのほうこそ、自戒とせざるべからずですね。」

「『自然にはかなわない。』ちょっと違う観点から思ったんですが、昨今猛威を振るっているコロナウイルス。この難解なものと戦うのでなく共棲することが人類の賢明な道のようにも感じました。」

ＦＢにストーンヘンジの写真掲出（省略）。

阿部氏からＦＢコメント欄に。

「これは自然にあったものですか。」

「いえいえ、れっきとした建造物です。紀元前四〇〇〇年ぐらいとも言われます。どうやって作ったかは推測可能であると学者は言いますが、なんの目的で作ったかは推測の域を越え、ただただ現代人の想像力の貧困さを露呈するばかり。謎は永劫に解かれることはあるまいと言われています。」

阿部氏から。

「立野先生、規模は極端に小さくなりますが、遠野でご紹介された庚申塚を思い出しました。この不揃いが私には心地よいですね。自然の驚異を鎮めるという意味合いを漠然とですが感じます。」

**七月十四日火曜日**

午前六時。映画を見る。『ザ・ボート』。ＦＢで紹介する。

傑作である。マルタ島の出身の俳優が主演している。監督はその実父。むろんマルタ島の人であるが生まれも同島であるかどうかは分からない。いずれにせよ、ハリウッドの映画ならこういう作りにはすまい。ことがらのみをただひたすら描く。理由も種明かしめいた説明もない。そこがいいのである。

二日前にＦＢに掲出したストーンヘンジの写真をめぐって阿部氏からコメントがあったが、わたしからとくに応答せずにいた。今朝がた改めて写真を眺めているうちに思い浮かんだことがあった。それを一気にＭ欄に書き付けたのが次である。

「巨石信仰という言葉がありますね。わたしも少年期から写真などで世界各地の巨石建造物に憧憬のような関心を掻き立てられてきました。国内ですと、蘇我馬子の墓とか石舞台と言われる大岩による組み石の構造物を若いころに見に出かけましたが、イースター島のモアイ像やカルナックのキブロン半島の列柱石、そしてストーンヘンジなどには尽きせぬ好奇心をいだいてきました。それら現代に残る先史時代から古代にかけての人間の原初的な石への執着というものに思いを馳せることしきりでした。

イースター島のモアイ像はまだじかに見たことはありませんが、ほかの巨石建造物はこれまでの旅でいくつも見に行きました。ストーンヘンジは二度訪ねましたが、二度とも目の当たりにしたまま絶句して言葉が出ない思いでしたね。

カルナックに出かけたのは七、八年前だったと思います。何世代もかけて人々は自然の巨石を一列に並べる重労働に従事し続けた。メソポタミアのジグラット、エジプトのピラミッドなどとは異なるなんらかの動機と衝動に促されて、それはいまに残る不思議な景観をかたちづくっているわけです。

巨石建造物ではありませんが南米ペルーのナスカの地上絵もしかり。太古の人々の心と魂のあり方がどういうものだったか、それをもしもかろうじて知り得る方途があるとするなら、ルロワ・グーランやユングやバタイユといった先達の考察や思索、またはロレンスのような異常な直感力を持つ詩人たちの発言を手がかりにするほかはあるまいと考えてきましたが、いまもそう思っています。

じつは熊谷守一の魂のあり方にも、わたしは先史時代もしくは古代の人間のそれと共通するものを感じています。

その理由の一つ、というかヒントは、映画『モリのいる場所』に描かれる庭とそこにある池ですね。現在の美術館敷地にはもう埋め立てられてしまっているでしょうが、映画に出てきたあの池は、モリが自ら掘った穴の底に出来た池。穴もしくは孔、それも相当に深い孔ですね。どれだけの労力を要したか分かりませんが、誰に頼まれたのでもなく自発的に守一が掘ったものでしょう。なぜ掘ったのか。なんの目的で掘ったのか。映画にはこういう理由があったというような台詞を守一が呟いている場面もあったようでしたが、ほんとうの理由はむしろ語られぬ深みにあるのだとわたしなどは思います。

あの孔のような深みが守一の魂のなかには存在しているのです。毎日庭を歩き回り、さながら螺旋を描くようにぐるぐる回りながら、次第に自分で掘った深い孔に降りてゆく。そして何時間でも、孔の底にたたえられた泉を見つめている。まさに守一は先史時代から伝えられてきた人間の最深層にある神秘の泉と向き合っているかのようです。映画では来客があって地上に呼び戻され、その客の頼みで字を書かされる。依頼主は書いてもらいたい文字があるのに、モリはかまわずいちばん書きたい文字を書く。それが「無一物」なのです。あの演出はよかった。

無一物、それは守一の魂そのものにほかなりません。そうであればこそ孔の底の泉がどういうものであるかがわれわれに暗示されるというものです。阿部さんの表現を借りるならば「自然の驚異を鎮める」とはそういうことであり、守一の日々の庭はそのために存在する。すなわちあの庭こそは聖域であり、日々守一は聖地めぐりの旅をしていると言ってもさほど見当ちがいではないとさえわたしは思います。

ついでながら申しますと、先日ご案内いただいて守一美術館に出かけて行き、榧さんともお話し出来たことをうれしく思っておりますが、あの歓談のおり、わたしはときおり壁に掲げられた榧さんご自身の作品に目を向けずにはいられませんでした。あの作品がまさにストーンヘンジであった。このことはただの偶然ではありますまい。さすがは守一の血を受け継いでおられる方と、帰宅してからも感銘を噛み締めたことでした。このコメント欄でストーンヘンジのことを言うのはなんとなく話のオチをつけるようで気がとがめますが、要するに事のありようはそういうことになるのです。

小さな小さな庭のまん中に掘り込まれた孔も、ソールズベリーの大平原に直立する巨石も、人間の古層もしくは深層に湛えられた魂の泉をいまだに分かち持つものです。現代の人間にその泉の在処がもはや分からなくなっているだけなのです。それだけに、無心、無一物に徹しない限り、現代の人間にはけっしてその生きた意味は開示され得ないであろうという気が、いよいよわたしなどにはしてきますね。」

右は走り書きであるから意を尽くさぬことは言うまでもない。あとでもう少しじっくり考えてみるつもりであるが、取りあえずは阿部氏への応答を兼ねた覚え書きの代わりである。

午後十一時四十分。阿部氏からの応答に少し期待をかけすぎたようだ。届いたのをみると短文であり、いささかそっけないと感じられたからだ。

## 七月十五日水曜日

午前四時。午前零時に横になり、いちど起きてまた眠った。三時間ほど眠ったことになる。本郷でひらかれる今夜の講座までにはまだ三時間ぐらい眠っておく必要があるが、とりあえず起き出す。

阿部氏からM欄に。

「立野先生が言われる「宗教的心がまえ」と深く関係しているように思います。自分の内部にある不確かなものとの対話であり、それは一度で済むわけもなく、おそらく、死ぬまで続くものなのでしょう。

どこまで行っても不完全な自己にとって、心の平安を求めて自己との対話を繰り返すなかで、古代の人たちは石の巨大な建造物を造り、守一は自宅の庭を掘って池を造った。とても今の私には、答えなどわかりませんが、四半世紀あまりの巡礼の旅を繰り返された立野先生には、彼らの心と共鳴されるもの、それを私は「宗教的心がまえ」と考えていますが、そのことがあるのではないかと私は感じます。

また、先日お会いした守一の娘さんの榧さんにも備わっているのでしょう。「宗教的心がまえ」ということ自体、まだまだ、はっきりとしたものがつかめていませんが、弱小な自分であっても全宇宙のすべてのものと絶えず繋がっている、謙虚さへの自覚であり、「愛」にも通じているということで、このことは自己の心の平安と密接な関係があるように感じます。改めて、時間をかけて考えなければならないと思いました。」

## 七月十六日木曜日

龍之介の『西方の人』を読んでいると「行路の人」という表現に遭遇した。やや古風だがいい表現だと思った。次の自著が紀行になるならその書名に使いたい。あるいはトルソー集の表題としてもふさわしいであろう。「行路」という詩がある。自分でもそれが気に入っている。

七月十七日金曜日

午前四時、伊藤君宛てメールによる返信。

「伊藤君、先刻送ってくれたメールにまずお礼を申します。きのうはゆっくり語り合う時間がありませんでしたが、わたしはきょう改めて講座のことを思い返していたところでした。これまで講座で同じ作品を再読したことはありませんが、もういちど龍之介のあの作品を取り上げてよかったと思っています。少なくともわたしにとっては、伊藤君の発言があったことが、きのうの講座を十数年前のときとはちがったものにしました。火に飛び込む直前のろおれんぞの一言に、龍之介における黄金伝説の真髄がつかみとられている。一回目の講座では誰もそれを指摘し得なかったのです。むろんわたしの発言にもない。だがきのうは伊藤君の一言が核心を言い当てていたと思います。

ろおれんぞの信心とはどういうものであるか、なぜろおれんぞの生と死が黄金伝説の一ページに書き留められたか、龍之介が黄金伝説をどのようなものと見ていたか、それがあの一言に凝縮されているのであり、あの場のありさまと人々の絶望とのあいだに鋭い対照が際立たせられています。

あの場面で、近代主義者としての作者の懐疑が、文学の表現のなかで自己超克されていると言い換えても差し支えない。

同じ意味でアナトール・フランスの懐疑主義が、ボナールに即して伊藤君が語っているように、文学のなかで乗り越えられている。アナトール・フランスの文学者としての苦闘を知っていたことは、龍之介にとってかれの博覧強記の一端を示すものにとどまらない。むしろ、若い時分から龍之介の近代精神がなにを探求していたかを端的に示すものにほかならないとわたしは思います。

『知性の愁い　アナトール・フランスとの対話』という本が岩波文庫にありますが、それを読むと、いっぷう変わった饒舌な老人の独話という印象を受けます。しかし、わたしには非常に重要な発言を含むと思われた本です。フランス語は歯が立たないので、英訳が中古で入手可能と知り、半年ぐらい前に取り寄せました。

和訳で読むのとちがって英訳のほうが、社交好きで皮肉ばかり言う博学老人の狷介な風貌を中和してくれます。

近代文学は近代以前の人々の素朴な魂を、もはや反語的であること抜きには語ることが出来ないのです。

ひるがえって、わざわざキリシタン伝説の装いが龍之介に必要だったのも、職業作家として物語を面白くするつもりのほかに、近代の懐疑がイエス伝説にどう向き合うことが出来るかという切羽詰まった必要から採用された反語であり、苦肉の策でもありました。

ところが『西方の人』を書くころには、もはや反語が反語の軽みを失いかけている。イエスとも、イエスをめぐる聖人や使徒らとも、作者はじかに向き合おうとしています。その切羽詰まった状態がすでに鬼気迫る凄味を帯びてきているのです。

　しかし坂口安吾などは、晩年の龍之介が作家精神において最後まで逃げなかったことを見届けていた数少ない理解者の一人だったと思います。

　安吾の「文学のふるさと」に晩年の龍之介のある挿話が語られています。それを読むにつけ、わたしは龍之介がいよいよ好きにならずにはいられない。

　自殺した龍之介は宮本顕治が言ったようにこの世の敗者ですが、敗者となることによって、人間苦の世界に根づいたおのれの魂の故郷を見捨てぬ正真正銘の作家であることを逆に証明した。それを安吾ははっきりと見届けているのです。」

　FBに。世界短編小説一〇〇選その3　ダフネ・デュ・モーリア作「モンテ・ヴェリタ」 Daphne du Maurier, Monte Verita を紹介する。

　長編小説『レベッカ』や短編小説「鳥」の作者として名高いデュ・モーリア。本作の主人公も女性だが、魂の命じるところに従ってある山に入り、そのまま行方を絶ってしまう。夫が懸命に捜索し、とうとう居場所を突き止める。そこは下界と隔絶し、高い壁に囲まれた尼僧院か修道院を思わせる不思議なところだ。モンテ・ヴェリタとは「真実の山」という意味。世界にその名で呼ばれる山はいくつもあるが、この小説はスイスのマジョーレ湖畔にある同名の小高い山がモデルと言われる。二〇〇六年冬と二〇一二年夏と、季節を変えて二度わたしはそこを訪れた。デュ・モーリアはイングランドのコーンウォル出身であろうか。ボドミンムアという荒野の中心に居を構え、そこで旺盛な執筆活動に明け暮れた。現在は記念館として開放されている居宅にわたしが出かけて行ったのは一九九二年のことだった。あれからもう二十五年も経つ。

　阿部さんからM欄に。

「『モンテ・ヴェリタ』を創作されたことと、こういう環境のなかで生活されたこととは、なんらかの影響があると私は感じます。この小説は何度か読み返していますが、「自分はひとりきりで、ふたたび山の上にいる。孤独がどんなに安らぎを与えるものか、わたしは、忘れていた」のところは、この光景を見ながら頷いています。」

　わたしもM欄に書き込む。

「拙作「光の記憶を探して」もご参照ください。いまになって思うと、わがモンテ・ヴェリタと呼ばれるべきはソーリオのあの深い渓谷をはさんだところに位置していたように思われます。」

「そこに描かれたアルプスの山々は、孤独に耐える精神によってのみそのように描かれ得たのだから」と「芸術家、それは時間のなかに入ってきた永遠である」。この「孤独」と「永遠」は密接に繋がっているように、「光の記憶を探して」を読み返していて私は感じます。一歩踏み込んで考えると、「孤独」と「永遠」の関係は、立野先生が言われる「創造的憤怒」を自分のなかで構築する過程において欠かせないものであり、デュ・モーリアが口舌の徒・五人のミューズの一人とされた意味も少しはつかめたようにも思います。」

「鍵となる概念やイメージが自分のなかでまだジグソーパズルのような状態にありますが、この四半世紀のあいだに少しずつかたちをなしつつあるようです。一生懸命考え続けているうちに、ミューズたちのおかげをこうむって、将来いわば一つの星座のような布置constellationを形成することが出来るかもしれません。」

阿部氏からM欄に。

「お手紙、立野先生の巡礼の後ろ姿のお写真、そして、『宮本武蔵と独行道道の精神史その一』ありがとうございます。早速一読しました。ただ、ただ共感するばかりで一気に読み進めることができました。ご著書のなかでもふれられていますが、吉川英治と安岡正篤は、日本農士学校初期のころ交友がありました。その時の写真がありますので、ご返事の手紙の中にコピーして入れておきます。それと吉川英治と吉村岳城の話のもとの文章もコピーして入れておきます。少し考えて書きますのでよろしくお願いいたします。

三十代から十年ぐらいかけて安岡正篤氏のご著書をよく読みあさっていました。正確に数えたことはありませんが、百冊弱あったと思います。『安岡正篤とその弟子』のなかで、埼玉県の嵐山町長だった関根茂章氏が書かれたものに、岳城との話がありました。そこには、もちろん安岡氏も同席しています。しかし、立野先生の文章は、私の心に響くもので感動しています。ありがとうございます。

安岡氏は、一言で言って古今東西の人物と言われた人たちを生涯研究し、彼らの共通した行いや考え方を著書のなかで述べています。立野先生が求められている「道」とも関係があることを拝読して感じています。推測ですが、安岡氏との交流のなかで吉川英治にも影響を与えていると思います。」

返信する。

「安岡氏の著書は文庫で数冊書架にあります。知人が愛読者でわたしにも読めと言って送ってくれました。」

「『童心残筆』『王陽明研究』はお勧めです。『東洋的学風』もよく読み返しています。」

「『東洋的学風』が手元にあります。」

「obstinacyというのが最後の方にありますが、サラザールもそうではないかと思った考案もとの文章です。」

「では、近いうち読んでみます。」

やや時間の経過があって阿部氏から。

「埼玉県の嵐山というところに安岡正篤記念館というのがあります。平成二年に私はそこを訪れて、今でも、そこで仕事をされている田中一三さんとは交友を続けています。立野先生が、もしご興味があればご案内させていただきます。私の直観ですが、立野先生の求められている方向と近いように感じています。」

「手元の本をよく見ると『活学としての東洋思想』でした。『十八史略』上下も見つかりました。とにかくなにか読んでみることにします。」

**七月十八日土曜日**

阿部氏からM欄に。

「ご返事の手紙を今日の午前中に投函しておきました。今回のものは、私も頗る感じるものがありました。今後、何度か読み返して、新たに思うことがありましたら立野先生にお伝えします。ありがとうございます。王陽明がこんなことを言っています。

「山中の賊を破るは易く、心中の賊を破るは難し。」

結局、自分の内部に堂々と常に横たわっている邪心やなまけ心、猜疑心などと共に生きることが人生なんでしょう。「ごまかさない」自己をどう築いていくか。それは一日で済むはずもなく、死ぬまで続くもの。ふと、そんなことを感じます。」

「王陽明の言葉ですか。さすがに人間の洞察が深いですね。」

「人間の内部は今までも、これからも、おそらく、永遠に変わらない。先哲の活きた言葉は、今でも傾聴に値するものが多いと思います。安岡氏は、人間、いかに笑い、いかに悲しみ、いかに怒り、いかに楽しむかが大事だと言っています。人生、喜怒哀楽の四者を出でずです。」

「道の精神史と銘打っていくつかの文章を書いてきましたが、喜怒哀楽の枠を外してしまうと、道はすでに解脱を遂げた人か仙人と化した人の次元にはいってしまい、言っていることが観念の道のことと変わらなくなってしまいかねません ね。わたしが自戒を心がけているのもその危険につい足を掬われかねないことです。」

「観念の遊戯に終わらせない。立野先生らしいお言葉です。荘子なども観念の世界でとどまってしまう危険があるように思います。

今回いただいた立野先生の後ろ姿の巡礼路でのお写真。なぜか、心に響くものがあります。時々眺めながら感動の源泉を見極めていこうと思っています。」

「あの山道はロレンスの「山間の十字架」に描かれるチロルの風景のなかにありますが、位置を教示してくれたのは平井さんでした。さすがはロレンス学者です。伝記や資料をつぶさに読んでいたのですね。」

「ご返事の手紙の最後で、安岡正篤の『東洋思想と人物』の中の「哲人宰相湛然居士」の最後の部分を書きましたが、やはり、全文を立野先生に読んでいただいたほうがよいと思いまして、その部分をコピーして、今日スマートレターでお送りします。安岡氏が生涯をかけて古今東西の人物を探求して、私の印象では、この人は五指に入る人物だと思います。」

## 七月十九日日曜日

午前六時起床。曇天、気温低い。一年前のきょうFBに掲出したのがサナブリア湖の写真であった。

最近思い当たったのだが、これまで湖水をモチーフにしていくつもわたしは紀行を書いている。そのなかにスイスのマジョーレ湖とレマン湖、スコットランドのコルイスク湖とモア湖、イタリアのネミ湖、ドイツのコッヘル湖、北海道の朱鞠内湖、スペインのサナブリア湖などが含まれる。近い将来、『七つの湖を行く』とでも題して湖水紀行を一冊にまとめてみたい。

台湾のドキュメンタリー映画『灣生回家』を見る。戦前戦中に台湾に生まれた日本人のルーツ探しの旅を描く。植民地だった時代の台湾に、政治とは別に懐郷の思いを台湾に対して募らせている人々の足取りを追った映画。戦後生まれの世代が祖父母に付き添い、台湾に行って、アジアで日本人に反感や嫌悪を持たない国があることに感動と驚きを禁じ得ないという発言があったのが印象に残った。

**七月二十日月曜日**

午前四時。小一時間前に起きた。横になったのが零時前後だったがそれから三度も小用に立ち、とうとう起きてしまったわけだ。だが三時間程度しか眠っていないので頭がぼおっとしている。ものを読むことも書くことも出来ない。さっきからぼおっとしているだけである。顔を洗うことにする。それから映画を見ることにしよう。

**七月二十一日火曜日**

シントラで撮った写真がＦＢに再掲されている。ポルトガル旅日記からの引用も。

「二〇一七年四月三十日。きのうは一日シントラに出かけた。旅の目的の一つがシントラを訪れることであった。とくにクィンタ・ダ・レガレイラの「イニシエーションの井戸」と呼ばれる不思議な穴にわたしは関心をそそられた。

井戸といっても底に水を湛えているわけではない。地下に向かってらせん階段をぐるぐるめぐりながら降りること二十七メートル！　まるで地の底にでも降りてゆくようだ。あるいは黄泉または冥界への入り口のようだ。あるガイドブックには、ダンテの神曲に描かれる九層からなる地獄の世界を髣髴とさせるようだとある。確かにそういう感覚が呼び起されるのも不思議ではない。

階段は地下水がしみだして濡れてすべりやすい。うっかりバランスを崩しでもすると奈落に落下してしまいかねない。壁面に作られたらせん階段の感じが無気味この上ないのである。降りきってやがて底面に立つ。そこは直径三メートルほどの大理石張りの床になっている。

いったいなんのためにこんな深い穴をこしらえたのであろうか。「イニシエーションの井戸」というからには、一人前の人間となったかどうかを試す場所で、ここで試練を課すという目的があったのだろう。

しかし別のガイドには、端的に「地下の塔」と記されていた。subterranean towerである。

言い得て妙というべきだ。というのもむしろ後者にわたしの関心があったからである。ブリューゲルの『バベルの塔』との関連もあり、塔とはなにかという主題をこのところしきりに考えているところだ。」

阿部氏へＭ欄に。

「死もまた探求途上の中継地なのだ、とはわれながらよく言ったものです。勢いで言いきった感がありますが、腹を割ったとも言えます。」

「「言いきった」ということは、非常に大切なことだと思います。「やろうと思います。」ではなく「やります。」ここが大事です。しかし、まことに覚悟がいります。これは、立野先生が言われた言葉だからこそ説得力と重みがあります。」

「英語でR.I.P.とはRest in peace.の略語ですね。フランドルに赴いた際に墓標の表にそう刻まれているのを見て、わたしはだんだん疑問を感じるようになりました。「安らかに眠れ」か、ここを終の棲家とする将兵のいったい何パーセントが安らかに眠っているだろうか。非業の死を遂げた者も少なくない、いや、むしろ圧倒的に多いと思われるのに。

自分は後者の声に耳を傾けるべきではないのか。死してなお語りかける者の声に。かれらは死んでいない。なおも語り続けようとしている。かれらは中継地にとどまっているだけだ。そんな思いに駆られるにつけ、フランドルをはじめガリポリやルーマニアにまで足を運ぶことになりました。国内では朱鞠内湖のかたわらの小さな寺で見た位牌と付近の笹藪のなかの墓標が、強烈な促しとなってわたしにこの湖になんども足を運ばせることになりました。

むろんキリのないことです。フィリピンやニューギニアには行かないのか、と言われることもあります。日本人ならば優先すべきは太平洋戦争の戦没者の遺骨がいまだに散らばる東南アジアと太平洋の島々のほうであろうに、というわけです。

もっともな話です。しかし、動機が内面的なものである以上、わたしは自分が赴くべき場所は内面の声に従って決めるほかはないと思っているのです。義務としての旅ではなくあくまで自発の旅ですから、個人で出かけることにしています。人々に容易に理解されないのも、旅の動機の自発性ということに、なにか胡乱なものがあるのではと疑念を持たれるためのようです。」

外部に動機を求めるのが世の常である。内部の動機と聞いてもそれが外部の動機と区別がつけられない人がほとんどだ。たとえば、なぜ山に登るのかという問いがある。答える登山者はそこに山があるからだと答える。問いはそれ以上続かない。問いは外部の理由と動機を尋ねている、もしくは期待している。応答者にとっては動機も理由も内部にある。だから疑問の余地はない。自分がここにいる。山がそこにある。それで十分なのである。なぜという疑問は生じ得ない。なぜなら動機は内部にあり、そのリアリティは正真正銘そのものである。だから疑念の余地がない。

## 七月二十二日水曜日

午前九時四十分。ろくに眠れず、いたずらにこんな時間になった。昨夜阿部氏とやり取りしていたが、酔いが頭に残っていたからか思考が持続せず、それでも先方からの応答が途絶えるまで続けていた。読み返していない。支離滅裂でなければいいが。

同氏から送られてきた手紙を読み返す。わたしの武蔵論に共感してくれたらしい。またわたしの武蔵論に通じるものがあるとして、安岡正篤の湛然居士論を引いている。送られてきたなかに関根茂章という人の随筆の一部のコピーもある。埼玉県嵐山町長の肩書きだ。

農士学校のことと岳城、吉川英治、安岡他一人とで酒を酌み交わしていた際の琵琶をめぐるエピソードが語られている。写真もコピーだが二枚。農士学校の幹部たちとならんで若き日の英治も写っている。さらに安岡の告辞つまり卒業生に送る言葉を墨書したものの写真も。楷書体でしたためられたじつに立派な字体の書である。見ていて感服のほかはない。こういう字体が好きである。

　阿部氏の愛読書からコピーしてくれたと思われるが、わたしの武蔵論を見てわたしに読んでほしいと阿部氏は考えたのである。

　武蔵は岩手に送ってしまってから、またこちらに送り返したことがあった。その後また岩手に送ったかもしれない。いま何処にあるのか。探してみよう。

　見当をつけてざっと探したが見当たらない。やはり岩手に行ってしまったらしい。それなら映画の武蔵をまた見てみよう。第四部が吉岡一門との果たし合いを描いている。しかしこれも探すのは容易ではなさそうだ。ディスクに収録してあるはずだが、整理されているわけではないから簡単には見つかるまい。

　阿部氏宛てM欄に。

「昨夜はお手紙のほうだけ拝見しましたが、さきほど関根氏の随筆で例の岳城の琵琶の挿話を読みました。」

「関根さんは、埼玉の嵐山町長をされた方で、安岡氏とは縁が深かったのでしょう。なかなか、聞けないエピソードです。」

「興味深く読みました。それから農士学校の主な人々の写真には安岡正篤も吉川英治も写っていますね。まだ作家として一本立ちする前でしょうか。また正篤の書いた告辞ですが、じつに素晴らしい。字体も立派で自ずから人柄がしのばれるようです。」

「一目でわかる独特の字ですね。立野先生の字もそうです。佐々木先生同様に安岡氏には会ったことも、もちろん、ありませんが、お二人の全く境遇は違っていても、その文章に感銘を受けずにはいきません。共通のものがあるとすれば、「道」ではないかと思っています。」

「正篤が書くような字体にわたしなどはただ嘆息するのみですが、むかしから奈良などに出かけて名のある宗教者が遺した経文の文字を、意味は分からないながら見ているのが好きでした。日本語ないし漢字の美しさ、品格に打たれて見入ったことがたびたびです。」

「その安岡氏の文章の最後に、「諸君ノ道安ヲ望ム」とありますが、この「道安」というのは良い言葉だと思います。」

「そうですね。ちょっと聞かない言葉ですがわたしにも印象的な言葉と映りました。」

「私は、道を生涯志し、修養を重ねれば、心は常に安立（ルーエ）するということではないかと考えています。道とは、心田を開拓する工夫とも解釈できるようにも思います。極めて難しいことですが、安岡氏が取り上げた人物に共通する心がまえだったように思います。

　神田の古書店で在りし日の大平さんと偶然とはいえ遭遇された立野先生のお話しに、何か深いお二人の縁を感じます。やはり、道者の縁ではないでしょうか。大平さんのことを、安岡氏は高く評価していたと思います。特にアメリカとの関係において、以前から主従関係であったものを「パートナー」として位置づけた点を高く評価していました。歴代総理の中で、原敬を高く評価していました。原敬も、ある意味、道者ではないでしょうか。」

「岩手出身の平民宰相として岩手ではいまでも尊敬されています。」

「人生の毀誉褒貶にこころを動じず、

いたって質素倹約。大平さんにも通じるものを感じます。そういう人は周りにも影響を与えると、実人生で微かではありますが、出会った機会に、そんなことを感じています。

余談ですが、吉田内閣の副総理だった緒方竹虎を安岡氏は非常に高く評価していました。総理直前に心臓まひで急逝されましたが、この人が政権を握っていたら日本の方向も違っていたとも言っています。「古来聞きがたきものは道」。江戸初期の陽明学者中江藤樹の言葉ですが、安岡氏に師があるとすれば、この人だったように私は思っています。」

「中江藤樹、その人物は有名ですが、学生時代に見た時代劇映画で聞いたことがある程度です。」

「立野先生のご先輩の林達夫氏は、安岡氏と一高時代の同級生です。」

「そうなのですか。知りませんでした。林先生の口からはいちども聞いたことがなかったようです。わたしの先輩ならなにか知っているかもしれません。」

「『東洋的学風』のあとがきに、林氏からのご感想が載っています。こう書いてあります。

「仕事の合間に『東洋的学風』ぽつぽつ、惜しむように拝読し、五分の三はこなしました。机の上には、いつも禅書か中国詩集があり、いま老子もそれに加わっています。いつもながらの柔軟な精神と旺盛な知的好奇心、ことに西洋屋のほとんど知らない、新しい科学的西洋とのぶつかり合い見事という外なく、大いに刺激されてます。」

ヨーロッパ旅行に出発する前日の慌ただしい中から出された葉書の一節です。日付は昭和四十六年七月六日。」

「いよいよ知りませんでした。久野収との自伝的対話集『思想のドラマトゥルギー』に人名索引がついているのですが、いま確かめたところそこにも出ていません。著作集をあたってみる手がありますが、全巻岩手に引っ越しして手元にはありませんから当分確かめようがない状態です。引用の文言からして、旧友に対して畏敬の念を感じ続けたようですね。」

「これは、すぐにはお約束できませんが、安岡氏直筆の文言が書いてある『東洋的学風』を私は持っています。林氏のご感想もあり、安岡氏の字も良いと言われた立野先生に差し上げようと思っています。字は安岡正篤記念館の田中一三さんに見てもらい本物だと確認していただいています。酒井家に本を謹呈された時のもののように田中さんは言ってました。」

「ほんとうですか。いただけるとしたら、じつにうれしいことです。」

「これは、アマゾンで随分前に出されていたもので、私の落書きはありません。立野先生がお持ちになってくださるなら、私もうれしいです。おそらく、酒井というのは、コピーにある写真の酒井忠正氏に謹呈されたもののように思います。この人は、随分安岡氏の私塾のために経済的援助をされた方です。」

「コピーとは言いながら、ここに写っている人々の持つ風格が見事ですね。この時代の日本人はみなこういう立派な面構えだったのでしょうか。」

「いま、書を出してきましたら、この本は全国師友協会発行のもので、島津書房には林氏のご感想はありますが、こちらにはありませんでした。その点申し訳ありません。レターパックプラスで送っておきます。」

「楽しみです。道の精神史に取り上げた人物で日本人は武蔵だけで、あとは西欧人ばかり。心づもりではまだまだ取り上げてみたい人物があったのです。たとえば次は芭蕉について書こうと思っていました。いまだったら取り上げようと考えている人の一人は大町桂月です。東北、北海道まで足を伸ばした旅の歌人で、十和田湖付近に滞在中病歿しました。いまの人たちにはあまり知られていませんが、明治時代の文人では名文家として有名でした。

　武蔵論のようなものをずうっと並べていこうというつもりでしたが、林流に言えば西洋屋のはしくれでしたから、ついヨーロッパにばかり目が行きがちで、東洋の文物にはとんと無知のままです。求道にはストイックなイメージがありますが、西欧とくにドイツのビルドゥングには人格形成の意味合いはあるものの、かならずしもストイックなイメージがついて回ることはないようですね。英仏には求道の文学は巡礼路上の物語が主で、キリスト教との関連で聖杯探求の物語が柱をなしています。しかしいずれもストイックなイメージとは距離があるように思います。日本独特のものかもしれません。求道とは裏腹の無明の道の物語ならば、介山の大菩薩峠があり、西欧にはラーゲルクヴィストのバラバがあり、これらもわたしの関心のうちにあります。龍之介の『西方の人』なども求道文学ですね。影響されました。」

「立野先生には、道のこと全般について、まだまだご執筆していただかなければならないことが山積されています。」

「出遅れた感がなきにしもあらず、です。口惜しいと臍を噛む思いです。」

「安岡正篤の『東洋的学風』がその一助となれば私としては幸いです。安岡氏七十二歳の時のものです。」

「おお、そうですか。言われてみれば、さきほどの林さんのヨーロッパに出かける前夜うんぬんのことと関連させて言えば、あの旅が林さんにとっては初めてのヨーロッパ旅行でした。七十歳過ぎてからですから驚かされました。」

「本当ですか。意外ですね。西洋学の神様と言われた人が。」

「佐々木先生も林さんについて書いておられましたね。スペイン文学と演劇のことと、これからやりたいことがいろいろあるんだという林さんの発言には参った、という内容だったように記憶します。」

「これから川口の母の病院へ行ってきます。その病院の近くにある郵便局から送っておきます。」

「お気をつけて。わたしも夕方から外出です。」

**七月二十三日木曜日**

　午前中吉川英治宮本武蔵から一乗寺下り松決闘のくだりを読む。本は手元にないが青空文庫で読める。

　大衆小説の王道とも言うべき文体のリズム感に釣られ、修羅場を立ち退くまでを一気に読む。

　阿部氏宛てM欄に。

「ついいましがた配達があり、『東洋的学風』が届けられたところです。ありがとうございます。立派な装丁の豪華本に驚きました。いまどきめったに見かけることのない造本です。林先生が著者から贈られたのもこの版だったのでしょう。そういうことに思いを馳せたりしていると、なんだか懐かしい感じを受けます。献呈の辞も著者によるものですか。こういう字体をなんというのかよく知りませんが、貴重なものですね。

午前中は久方ぶりに吉川英治宮本武蔵の一乗寺下り松決闘のくだりを読み返しておりました。大衆文学の特有なリズム感で読者をぐいぐい引っ張ってゆく文体はみごとです。」

「「落花の前」の最後の方に、「ゲーテの畏友」から始まる文章がありますが、ヒルティの幸福論第一部の「どうしたら策略なしに常に悪とたたかいながら世を渡ることができるか」のなかで安岡氏が引用されたものです。ヒルティの愛読者だったことがわかります。」

「文章の一、二を拾い読みしたところですが、「落花の前」も読んでみます。」

「島津書房の方に、「解説に代えて」と十ページほどの文章がありますが、林氏のご感想もあり、面白い内容なので、コピーしてお送りします。」

「ご厚意、ありがとうございます。「己を盡す」という語が見えますが、「盡己の学」というところを読みますと、辺疆の開拓というが、いちばんの辺疆は自己ではないかとありますね。『辺境の旅人』でわたしが言いたかったことそのものです。」

「やはり、先ずそうした自己に対する自覚から始めなければならないと思っています。しかし、それが難しい。佐々木先生の「魂の重心を低く」に通じるものを私は感じます。立野先生がご著書で読者に伝えようとされているものに、この本は近いところにあるように私は思います。」

「そう思います。先達の後を追う心地です。」

「なにぶん、この本の文字は旧字体なので私より若い人にはなじみにくいのが残念です。私も類推して読んでいますが、わからないところもあります。しかし、文は人なりで、安岡正篤という人はただものではないこともわかります。「為さざるあるなり」。この「節」ということも、今の時代には存在しないようにも思います。原発がその象徴のようにあります。」

「わたしは武蔵論にいちどだけ安岡正篤の名を出していますが、引用部分にその名があったというだけで著作は読んでいませんでした。『東洋的学風』を読んでいたら、裨益されるところ少なくなかったろうと思います。求道とは自分自身の真剣な問題であり、その点外国でも同様であった。ピューリタンの信仰の最も著しい特質は宗教というものを教会から解き放ち、個々人の魂の問題としたことである。安岡はそう言ってイギリスのグリーンの『英国民小史』を挙げています。小史とは言いながら三巻の大冊で、取り寄せてみて驚いた記憶がありますが、モリス論を書く上で必要と思いました。

自己を何処までも突き詰めてゆくという文学的姿勢は、初期の大西巨人の『精神の氷点』にも顕著です。わたしはこれこそ『罪と罰』に対する戦後日本文学の優れた応答ではないかと考えています。大西さんなら安岡正篤を読んでいたと思いますが、こちらの無知ゆえに質問を投げかけてみることもありませんでした。in sich selbst Seinとも言い換えて説明されている盡己ということが最も重要な問題ですね。わたしに大西文学の最も重要と思われるのは、まさにその文学の核心に盡己ということが中心課題となっている点です。安岡正篤の学問と思想の根幹にもそれが感じられます。」

「先ほどお送りしておきました。机の中を整理していましたら、私が安岡正篤記念館に初めて伺った時の入館券が出てきました。日付は平成四年六月九日。確かこのとき、島津書房の『東洋的学風』をここで購入したことを思い出しました。当時はパソコンの普及もしていなかったですから、今のように容易に購入できません。その入館券もコピーしてお送りしました。考えてみましたら、立野先生が巡礼の旅に出られた年なんですね。偶然とはいえ、何か感ずるものがありました。

湛然居士の中で、マッチーニというイタリア人のことがありますが、安岡氏の言った言葉で忘れられないのが、この人が幼少のころ、どこかの町で痩せこけた乞食に遭って、「この人に何か食べるものをあげてください！」と叫んだ話があり、このマッチーニという人の人となりがわかると言っていました。こういうことが人間にとって大切なことなんだと言っていました。結局、賢明な判断、特に政治家のような立場にある人は、単に頭の良しあしより性情の良しあしに、その判断がかかっているということなんでしょう。マッチーニのデモクラチーの定義もそこに重点がおかれていました。そこを安岡氏は評価していました。」

「ジュゼッペ・マッツィーニのことを詳しく知っているわけではありませんが、岩波文庫で『人間の義務について』を一読した程度です。昨年の一月、シチリアに行き、ガリバルディの事跡を少しばかり辿りました。ガリバルディの思想と行動とマッツィーニのそれとが密接に関係しているので、ロンドン亡命時代のことも、またマルクスとの関係や、第一インターナショナルのことも視野にはありました。安岡氏のマッツィーニ評価に触れるきっかけが、わたしの場合はガリバルディとマルクスを通してというところが興味深く思われます。

シチリアに向かう気になった直接の動機はＦＢでも紹介したように、『山猫』という映画とその原作の舞台と背景となった風土をこの目で見てくることにありました。一八六〇年のガリバルディのシチリア上陸に端を発したイタリア統一運動に揺れるシチリア貴族社会を、原作者のランペドゥーサがスタンダールばりの雄勁な筆致を駆使して描ききっているのに惚れ込んだのです。むろん映画を見て感銘を受けたのが始まりです。

湛然居士を一読し興味を掻き立てられました。ユーラシア大陸が自ずから思い描かれるような広大な風土と、その風土にふさわしい大人物の風格が脳裡に浮かんで来ますね。」

「立野先生の読書範囲の広さに驚愕しています。『人間の義務について』は、そういうものが岩波で出ていることも私は知りませんでした。安岡氏の持論ですが、人間はまず情操を養えば自然と頭も良くなっていくものですとよく言われています。英語のＷＩＳＥの深い意味は知りませんが、賢明と日本語では訳しますが、安岡氏は上に立つものはそこが大事だと言ってますね。この情操を養うこととは、ある意味、立野先生が事あるごとに言われる「宗教的心がまえ」に関係しているように私は思います。」

## 七月二十四日金曜日

うかうかしていられぬ。七月ももうあと一週間を残すのみ。「奉教人の死」の文字起こしは木嶋氏に手配してもらった。二、三週間後に届くらしいから、まずは『扉』の日本文学編を仕上げるのが先決であろう。

すでに発表済みのものは次の三編である。

松本清張作「或る『小倉日記』伝」
山本周五郎作「大炊介始末」
大西巨人作『地獄篇三部作』

推敲中のものは次の二編である。

深沢七郎作『楢山節考』
宇野千代作『おはん』

これに「奉教人の死」を加えると六作になるので、『地獄篇三部作』を外そうかと考えている。

ついでに言うと海外文学編もじつはもうひと頑張りだ。発表済みのものは次の三編。

カフカ作「断食芸人」
デュ・モーリア作「モンテ・ヴェリタ」
チェーホフ作『小犬を連れた奥さん』

あらかた出来上がっているのは次の二編。

ウォー作「ディケンズを愛した男」
ゴーゴリ作「外套」

さらについでに言うと、トルソー集つまり散文詩集をまとめることも課題である。

道の精神史の第一回として書いた「宮本武蔵と独行道」を数日前に久しぶりに読み返してわるくないと思った。二〇〇三年に書いたものだ。内田吐夢の映画に言及しているから映画論とも読めるだろう。

『砂の器』について書いた竜飛崎紀行や『大曾根家の朝』などとともに映画論にまとめることを考えてもよかろう。思想運動に書いたままになっている映画時評がいくつかあるし、最近のものでは『山猫』紀行もある。『白鯨との闘い』について書いたものがある。それから、『日曜日には鼠を殺せ』をめぐってピレネーのロランの切り通しのことを講座で語ったものがある。これも加えれば取りあえず二〇〇枚にはなると思う。

古い映画メモ帳からも拾い出せるかもしれない。一〇〇枚は無理でも七、八〇枚にはなろう。そのままでは読み物として物足りないかもしれないから加筆するとして、あとは書下ろしで二、三本書けばいいのだ。

いま思い出したが、直接映画を論じたものではないが、この際収録しておきたいエッセイがいくつかある。一つはジンネマンの自伝の書評である。それからロバート・ボルト論である。ほかにもあったようだがちょっと思い出せない。

映画紀行のタイトルも『スクリーンの向こう側への旅』を仮題として考えている。

とくに書いたことはないが、次の作品

は短文でも取り上げたい。

『戦争は終わった』『追撃のバラード』

『スコルピオ』『ゼロの焦点』『移民たち』


伊藤君宛て携帯からのメール。

「この一週間、わたしは筆談対話の相手である阿部氏から安岡正篤の話をしきりに聞く日々です。東洋思想を熟知している農本主義者ですが、伊藤君はこの人物をご存じですか。旧制高校で林達夫と同期だったそうです。

阿部さんは安岡の著書なら百冊あまり読んでいるというほどの愛読者で、わたしにもコピーや著書を送ってくれます。立野の目指すものと共通するところが少なくないから、きっと参考になるはずと阿部さんは見ているようです。確かにかつてわたしが宮本武蔵論を書いたとき、いちどだけ安岡に言及したことがありました。

ご承知と思いますが、わたしの武蔵論は道の精神史の一環として書いたものです。内田吐夢の武蔵映画を踏まえているのですが原作は吉川英治です。安岡は吉川英治の師に当たる。すなわち、求道の武芸者として吉川英治は武蔵を書いていて、その精神的血脈を辿ると安岡思想から来ていることが分かるわけです。

林達夫は自分を西洋屋と呼んで、安岡の東洋的学風から知的刺激を与えられたと言っていますが、西洋文化史の大家と東洋思想史の大家とが旧制高校の同期で、後年になっても著書を送るあいだがらだったというのもじつにすごい話ですね。この時代の学徒たちのすごさです。」


阿部氏宛てM欄に。

「いよいよ熟読しなくてはと思います。きのうは送っていただいた安岡正篤の本やコピーを読みながらいろいろと考えさせられ、充実した一日でした。林達夫の「西洋屋」にも久しぶりに思いを馳せることになりました。それにしても、のちの東西精神史の二人の碩学が旧制高校の同期とは。むかしの学生の優秀さと好学の志の高さにいまさらながら感銘を受けずにはいられません。」

「林氏のことは私は全くわかりませんが、お二人の碩学の辿られた人生は、人間の内面に目を向けられ学問を貫かれた人生ではないかと想像します。立野先生は、その継承者であり、現代人にそれらのエッセンスを問いかける使命があるように浅学な私には思えてなりません。」

「日本有数の碩学たちの後塵を拝するだけですが、いままでやって来たことの方向だけは大きくあやまってはいないと思っています。こののちは、先が見えていようともくたばるまで歩き続けるということになりましょう。

宮本武蔵論は久しく読み返しもしませんでしたが、阿部さんに読んでいただき、安岡正篤の本やコピーもいただくことになりましたから、これも一つの機縁と考えております。」

「私のように営利追求の仕事に付き一生を終わる人間が現実問題としてほとんどではないでしょうか。本格的な学問をされてきた識者は、やはり、人間の内面を探求するという方向に向かうように私は思います。大多数の国民には無縁な分野ですが、人間社会を豊かにするためには、そういう方向を示してくださる人が必要です。お金があれば、健康であれば、結局自分さえ幸せならという人間の集合体が現代で、日本だけでなく世界的にその流れは蔓延しているように思います。そこにメスを入れてくれる識者として、立野先生がご執筆されている、今後されるであろうご著書の内容は非常に重要であると思います。」

「大いに勇気づけられる心地がします。佐々木先生もご存命だったころは、阿部さんが頻繁にコメント欄に書き込まれる言葉や文言に接して、少なからず激励されたことと思われます。

　現役のころ同僚のなかにおよそ一人も昨今阿部さんと交わすような対話がなかったことに、いまさらながら愕然たる思いを禁じ得ません。専門がなんであれ、その人の日常の精神生活が最も重要なことであるにもかかわらず、通りいっぺんのやり取りに終始するという体たらくで、よくもまあ四十数年やってこられたものだと慨嘆に堪えません。」

「人間の幸せということの大問題。佐々木先生は、第三者から見れば、奥様のご病気、原発事故被害者として厳しいものがあったことは事実ですが、その奥様を介護されることにご自身の人生における勇気と希望の源泉があったと言われています。これも、佐々木先生の地道な心田の工夫の賜物ではないでしょうか。人間の内面への自己開拓。ここが大切だと思います。」

「心より同感します。人間の内面への自己開拓。まさに安岡正篤の言う盡己ですね。」

「読者にそういうことを教えてくれる書物は、実際少ないように思います。『モノディアロゴス』は、そういう数少ない本です。人生の毀誉褒貶に動じない自己をどうつくっていくか。立野先生のご著書、そして、巡礼路をお一人で歩まれていたお姿に私は感じるものがありました。その感動が意志に、行動に変わるのでしょう。」

「そういう観点から『モノディアロゴス』を振り返ると、じつに稀有の精神性に満ちた日常を佐々木先生は送られた方ですね。」

「佐々木先生は、『モノディアロゴス』を自分の遺書だと言いきられていました。日々、竹刀でなく、真剣でご執筆されていたと思います。その迫力は、立野先生のご著書にも感じています。その「つよさ」は、常に「強い」ではなく「勁」でした。一年間、世界中を巡礼の旅をすることは、やれないこともないように思いますが、四半世紀続けることは、そこに不動の信念という精神的領域を自分の中に持たなければ不可能です。「勁」には、そういう意味が含まれているように思います。」

「『モノディアロゴス』をひところたびたび訪れてもやがて足が遠のく訪問者が多いなかで、阿部さんは常に変わらぬ最高の読者でしたね。先生との対話が面白く、しかもいつも深い理解を示しておられたのには感服のほかはありませんでした。訪問者のコメントが少なくても、あのような応答を書き込んでもらえたら、先生もやはり張り合いを持たれたと思います。」

「初期のものを読み込んでいました。全体をしっかり把握するとコメントを書きやすいというのが実感です。」

「ときには佐々木先生自身が阿部さん

の驚くべき記憶の才に感嘆していましたね。」

「『平和菌』という言葉を初めて使われた時のことをご指摘したことがありました。先生も忘れられていて感謝されたのを覚えています。しかし、立野先生の文章は「作品」と言われ称賛されていました。」

「コメント欄に談話室と命名してもらって、比較的気軽に意見なり感想なりを書き入れさせていただいたのは楽しいことでした。ときには携帯を使って先生に長文のメールを送りつけたことさえありました。同僚同士ではごく稀に、しかも途切れ途切れにしか経験がないことでしたから、楽しさもひとしおでした。

じつはその間、淳君からたびたびメールが届き、息子としてはやきもきすることがあったようです。父親がいささか常軌を逸していると受け取られはせぬかという心配からだったのでしょう。」

「そういうことがあったんですか。意外です。淳さんは、生前そんなに先生のものにはふれられていませんでしたが、亡くなられてから本当に先生のことを大切にされています。しかし、佐々木先生はお母様も叔父様も百歳近く生きられて、ほんとうに青天の霹靂でした。立野先生とも親しくさせていただき、談話室もにぎわっていたことを思うと残念です。」

「亡くなられる直前に腹を割って対話をなさったようです。不幸中のさいわいとは不謹慎な言いようですが、わたしは先生にとっても、淳くんにとっても、そのいっときの対話は天の配慮のようにすら感じられます。いまだに淳くんは長年実父と疎遠にしていたことを悔やんでいますが、なんといってもオルテガを世に送り出したのですから、先生もご存命なら心から打ち解けて和解されたことと思いますね。」

「一度、淳さんご家族が仙台に引っ越されることになって、先生お一人では介護は難しいと淳さんのことを非難したことがありました。仕事なら単身赴任でいいんじゃないかと。しかし、私の気持ちはくんでくださって、淳さんのことも何も先生は言われませんでした。」

「淳くんが元先生がおられた同じ修道院にはいられたことがあるようですね。先生が面会に行かれたことを小説にお書きになっています。わたしにそのコピーをくださって、息子との関係を知っておいてほしいと添え書きがありました。父子の確執は太古のむかしから珍しくありませんが、感情の行き違いはなにか些細なことがきっかけで氷解することもあり、志賀直哉の『和解』などが好例でしょう。先生と淳さんの場合も、先生の癌のことと検査入院とが親子の距離を縮める働きをしたことはまちがいないところでしょう。血縁の最大の危機が、きわどいところで乗り越えられたと思いますね。」

「私の記憶でどこに書いてあったかわすれましたが、先生がご幼少のころお父様が亡くなられたことで息子との付き合い方にはなんらかの問題点があるようなことを言われたのを覚えています。」

「わたしも五歳で父と死に別れましたから、子供たちとくに息子との関係は容易くはありませんでした。いまはともに酒を飲み、旅をするあいだがらです。わたしの講義に顔を出すこともありました。息子に言わせるとわたしは演技者ということのようです。」

「「演技者」ですか。私は、それでよいと思っています。漠然と、第三者が聞くと確かに辛辣な言葉のように思いますが、私には裕明さんの父親に対する最高の賛辞だと思います。自分の親の講義を聞いて優等生の答えは言えません。たまに、フェイスブックにコメントされていますね。私が『星の時間を旅して』は、読むほどに味わいのある名著とコメントした時に、裕明さんが「ちょうイイネ」をしていましたよ。」

「恐悦しごくです。あの一冊はわたしも好きですね。」

「立野先生ゆずりで芸術関係が、やはり、進むべき道のように思いますね。サラリーマンをされるタイプではありません。純粋な精神の持ち主ですから世間の汚さには耐えられないでしょう。私などども社会に出て苦労した口です。宝石やっていて『東洋的学風』に興味を示す人間は周りには皆無です。しかし、その孤独の時間が私には楽しかったようにも今になって感じています。

芸術関係全般に言えると思いますが、創作するには孤独が必要です。孤独が嫌いなら芸術の道は難しいんじゃないでしょうか。その覚悟さえあれば裕明さんは大成されると思います。そこには、「道者」に通じるものがあると思います。

音楽の世界は、私は素人ですからわかりませんが、人を感動させるものは、自らの苦労と、そこにから生まれた信念によって、周りに阿諛迎合するのではなく、自らが熟成させて創り上げた独特の世界を表現することのように思います。オカリナ奏者の宗次郎という人が創った「道」というのを、たまに私は聞きますが、その独特の世界に感動しています。」

「こんど息子との会食のときに阿部さんの言葉を伝えます。じっくりと聞いてくれると思います。」

「立野先生が安岡氏、吉川氏らの顔をご覧になって、みな良い顔をしてると言われたことを少し考えました。やはり、学問にしろ、文筆活動にしろ、みなさん捨て身の覚悟でやられていたのではないでしょうか。これが駄目ならあれがあるでは、おそらく、安岡氏にしても吉川氏にしても、あれだけ大成されることはなかったように思います。その「覚悟」は人は教えてくれません。『東洋的学風』にあった「親切に教えてもらった道は覚えない」ということだと思います。

立野先生が巡礼の旅のなかで、不愉快なこと、不都合なこともすべて丸呑みにする覚悟がなければ真の巡礼の旅にはならないようなことを言われていました。そこを丸呑みにしてやれるかが「覚悟」の要のように思います。また、そこにこそ自己の内面的成長の源泉があるのでしょう。」

「ゲーテが『イタリアへの旅』で、アシジでスパイだか密売人だか、とにかく胡散臭いと疑われてじつに不愉快な思いをさせられたことを記しつつも、これしきのことで自分のイタリアへの愛は少しも影響を受けないという意味のことを書いています。そのくだりを読み、さすがは大ゲーテと思い、頭が下がりました。またカミュも旅で苦難に遭うことは試練と思うと述べています。これにも頭が下がりました。わたしもたびたび愉快でない経験を旅のなかでさせられますが、それでも先達の言葉を思い出すと、ここが正念場だぞという気になります。」

「ヒルティが言っていた苦難によって偉大な芸術は開花し実を結ぶというようなことに通じるものを感じます。その苦難によってしか自己の内面の、心の田を開拓できないものなのでしょう。その開拓なしに人に感動を与えることはできない。そんなことを思いますね。」

## 七月二十五日土曜日

阿部さんに宛ててM欄に。

「今朝早起きをして手紙を書きました。きょうは土曜日ですから配達は週明けになると思います。シチリアの写真も二枚ほど同封しました。」

「写真アルバムを新しいのを購入しておきます（笑）。ありがとうございます。先日、熊谷美術館に立野先生と伺いましたが、考えてみると、守一さんも道者だったように思えてなりません。真の芸術家と道者は密接に関係しているように思います。人生の毀誉褒貶に動じず、只管、己の道を進み続ける。この気概なくして真の芸術家には至らない。そう思いますね。」

「わたしが個人的に知るかぎりでは大西巨人がまさにそういう作家でした。出会って知遇を得られたことはわたしの生涯の果報です。」

「やはり、立野先生から見てそうなら間違いないでしょう。十年前、美術館で守一さんの絵を見て正直うまいとは思いませんでした。しかし、先日改めて絵や字を見てなにか感じるものが私にありました。やはり、真の芸術作品を鑑賞するためには、こちら側の、見る側もなんらかの道者的努力なり工夫を心がけなければ永久にわからないようにも思います。」

「実際、芸術の凄さはうまい下手を超越してしまうところにありますね。正宗白鳥は島崎藤村にそういう凄さを見ていました。小説は下手だけれども、人間がこの世に存在し始めてからの苦というものを、藤村はじっと見据えて書いていると語っています。『新生』などの評価もそうですね。あれは厭な小説ですが、藤村はあられもないほど大胆に自分の小心と我欲を描いています。白鳥はそういうところを見逃さないで見ていますね。守一の文字もうまく書こうなどという俗気を捨てて書いていて、そこが凄味ですね。碁もそうだったのでしょう。ちょっと碁をやる人が見たら下手くそでお話にならない。だが当人は悠々と下手な碁を打っている。これは真似のできないことです。」

「『人生恐怖図』は、藤村のなんらかの影響があるように私は感じます。毀誉褒貶に動じずを「蒼蠅」の字から私は感じ取りました。しかし、そう容易に得られない境地ということも私はわかります。そこが十年の月日で私が感じたものです。」

「文化勲章を断ったのもそうですね。あんなものをもらった日には人が押し掛けて来てたまらない、めんどくさいから断ってしまえということだったのでしょう。自分の欲することが第一義のことという生き方が徹底していますね。」

「いや、なかなか断りきれないもので

す。私などはそういう境地にはまだまだ修養がたりません。守一さんは、わが子の死を何度も見られ、戦争も体験され、ご自身がよく揮毫された「無一物」を具現化されたと思います。しかし、至難です。圧倒されます。しかし、あの晩年の、まさに、仙人のようなお姿は真似ができません。威厳のようなものさえ感じます。」

「修養の足りないことはわたしもまったく同様ですね。自分のなかの俗気をどうやって乗り越えるか。俗気を捨てるというより、俗気があってもさばさばとしていたいものですが。」

「その俗気は私は永久に消えないと考えています。その時、その時に、それを自覚して謙虚に生きようとは思っています。まあ、道というものも限りない無限、日々の小さなことを、佐々木先生もよく言われていましたが、精いっぱい自分らしくやっていくしかないと思っています。立野先生のご著書は私にはその一助になっています。」

「拙著はどれも書き下ろしでなく、何年にもわたって雑誌その他に書いておいたものを編集して出していますが、歩みは遅々としてはかどらないものの、馬鹿の一つ覚えのように同じ道を歩いていることだけは確かのようです。」

「立野先生の文章は、独特の迫力が備わっています。それは読み込むほどに読者の心に効いてきます。勇気を呼び起こし、背中を押してくれるようなものを。あの巡礼路をひたすら歩き続けるお姿と見事なまでに歩調が合っています。」

「書いたものをそんなふうに思っていただければ、著者冥利です。毀誉褒貶に動じないという境地にはほど遠い話ですが、やはり読んでもらいたくて書いていることは隠しようもありません。」

「四半世紀あまりの巡礼の旅を実行することは容易なことではありません。独特の迫力もそこから自然と沸き起こってきたように感じます。まさに、「ごまかしの効かない」迫力です。立野先生の文章にはその軌跡が伝わってきます。」

「ありがとうございます。旅を通じてほかならぬ自分が試され続けて来たように思います。安岡正篤の言う盡己という言葉に心打たれ、そういうことなのだと思い当たりました。」

「安岡正篤が「人間の気魄は何に象徴すべきかというと朝顔の花であるとか或いは笹の葉であるとかに露が溜まって玉のように凝っている。ああいう気魄でなければいかん。」と言ってたのを覚えています。まさに、立野先生の文章には、その気魄、迫力が備わっています。そう容易に生まれるものではありません。」

「そのイメージは若いころわたしが最も好んだものです。わたしの最初の創作に「草の葉に露あり」という題をつけたことを思い出します。海のものとも山のものともまったく分からない自分の心もとなさを、心もとないなりに草の葉の上に凝ったちっぽけな朝露になぞらえてみようとしたのでしょう。二、三の友だちに見せたあとは、いつか行方が分からなくなりましたが、題名だけは記憶にあります。」

「やはり、立野先生は安岡正篤と相通じる感性があるように思います。恐れ入りました。」

「いやあ、要するにわたしの心性の深

いところにも農本主義的なところがあり、それが安岡正篤を知る以前から、吉川英治の宮本武蔵における農本主義的な武士道に引かれる機縁となったものでしょう。根源への旅ということに拘泥して来ましたが、その根源の風土性を突き詰めることこそ盡己、おのれを尽くすことであり、おのれを全うする道ではないかと思われる次第です。

　さきごろまで克己という発想がわたしの何処かにありましたが、『東洋的学風』の盡己という発想を知って、あっと思ったわけです。おのれは宇宙の微塵のような存在にすぎぬ身ではあるが、微塵のような個を尽くさざるべからず、という発想が大西文学にあることも、わたしを引き付けて止まぬ理由であることに思い当たります。これもまた盡己にほかならない。」

「立野先生、大西巨人、安岡正篤。何か共通のものを感じます。それを考えてみます。」

「おのれの本分を尽くすことによって真のおのれとなる。ウナムーノの言う四人のフアンの四人目も、おのれの外部におのれを理想として求めるのでなく、おのれのうちの未成のおのれのことと考えると分かってきます。やはりおのれを尽くさざるべからず、ということですね。」

「盡己ということを改めて熟考してみます。ありがとうございます。」

　午後八時。阿部さんへM欄に。

「郵便届きました。さっそく解説を一読したところです。戦時下にあれだけのことを言うにも勇気を必要とすることだったと思いますが、アングロサクソン民族を侮ってはならないと戒めていますね。とはいえ聞く耳を持った人々がどれだけいたのか。指導者たちももはや立ち止まって考える余裕を失っていたこと、いや、止めようにも止まらない地崩れがその後の悲惨な地獄絵図を描き出したこと、安岡氏のような真の識者の言に耳を傾ける謙虚さが、当時の日本にはすでに消え失せてしまっていたわけでしょう。」

**七月二十六日日曜日**

アリババの召使とシェヘラザーデ（挿絵省略）。FB再掲。二年前のもの。

「アリババの召し使いは利発でしかも果断な行動力の持ち主だ。主人の危難を救うため、踊りながら盗賊の頭に近寄り、短剣でひと突きする。ユディトやシャルロット・コルデーにも似てあっぱれ、まさに烈婦である。だが、重要なことは次の事実に注意することだ。この果敢な行動力はアラビア夜話の語り手シェヘラザーデその人の静的な果敢さとは鋭い対照をなしている。なぜなら、シェヘラザーデは身に寸鉄帯びることなく、千夜と一夜、もっぱら物語を語り続ける語り部に徹することによって、閉塞した現実に穴を穿つのであるから。読者は選択を迫られる。あなたは、わたしは、どちらを選ぶのか。いっぽうの動か、はたまた他方の静か。」

　依然として古びぬ問いである。古今の優れた物語は一話単独で深いのみならず、さらにそれが語られる構造の総体においても、物語の一大気圏をかたちづくり、のちの世の読者に向かって深く問いかけてくる。

阿部氏からM欄に。

「「解説に代えて」を執筆された山口勝朗氏の『師と友』を先ほど読んでいて、安岡氏が『列子』にあるこんな言葉をよく引用されていたそうです。「故に曰く、至言は言を去り、至為は為を去る。斉智（凡智）の知るところ即ち浅し」。安岡氏がご自身が政界に入って政治に加わることをされなかったのもそういうことだったと山口氏は述懐されていました。

「かもめ好きの少年がいて、毎朝海辺でかもめと無心に戯れていた。彼が海辺に出ると、いつも何百羽のかもめが群がり集まった。ある日、少年の父親が言った。「かもめが大層お前になついているそうだが、一つお父さんに鷗を生け捕ってきてくれないか」。翌日少年は海に行った。ところが、今度は一羽も舞い降りてこなかった。」というのが『列子』にあるそうです。」

「じつに興味深い話です。『列子』を読んだことはありませんが、たいへん考えさせられる話でもありますね。洋の東西を問わず、深い叡知を秘めた話を古人はあまた語り伝えていますが、これまで主として西洋のほうに物語を探求することの多かった自分の偏りを指摘されるような心地です。

若いころにいっときこういうことを企てたことがありました。東西古今の深い叡知を秘めた物語を渉猟して、聖賢と呼ばれる人々が人間存在をどのようにとらえてきたのか、また巷間語り伝えられる説話が現世に生きる人間をどのように見てきたか、それを究めていわばエキスのような物語集を編んで見たら、今様千夜一夜物語ともなろう。そういうものを何巻かにまとめてみるのも自分のライフワークとしてやりがいのあるものとなろう。

実際にその企てを大学の特別研究費申請の際に書類に書き申請したことがありました。何回か却下されたのですが審査委員を務めた教授が理解を示してくださって、ある年とうとう受理されました。かくておびただしい文献を購入することが可能になりましたから、当時研究室には丸善や紀伊国屋書店や三省堂、また古書店の北澤書店や崇文荘書店から続々と本が届きました。その時分の研究室は個室ではなく共同研究室になっており、一室に五人か六人の机が並んでいましたが、わたしにあてがわれた机の上はもとより周囲の床に、次から次へと和洋さまざまな書物がつみあげられ、それがとめどもないのでしまいには先輩教授たちもあきれ果てました。わたしの恩師たちも少なくありませんでしたから、ある教授からは皮肉を込めて言われました。お前は狂っているのか、英文学と関係のない本が目立つが、趣味好奇心の度がすぎるようだ。若いのだから今のうち専門の領域をしっかりやって論文を書け、と。

またある教授はこう言いました。企ての意気やよし、だが学問としてやるなら語学が伴わないと話にならない。英独仏それに古典語、漢文にいたるまでマスターするのでなければなんにもならぬ。君はいずれ負け犬になること目に見えているよ。

どちらの意見も応えました。それでも三十代半ばまでは野心を失わず、ギリシア、ラテンの古典語もかじり、近代語も仏独あたりをやりかけました。しかし語学は成果が上がらず、次第に業務多忙となりつつある時代が到来し、いわゆる繁文縟礼に忙殺されるようになってくると、非才の身に前途遼遠、自分の企ての途方もない巨大さが日に日に眼前を圧するようになってきました。ついに企てそのものの規模縮小を余儀なくされ、風船がしぼんでゆくのをいかんともしがたい状態へと追い込まれました。お笑いください。当時の野心の一部がかろうじて『根源への旅』に名残りをとどめております。

精神的に打ち止めを食らったような気がしたのは、ある教授から指摘された言葉に暗示されています。お前は中世古代をらくらくとやっているつもりになっているが、おれを見てみろ。いまでこそおれもおまえと似たり寄ったりの関心でものを書いていると見えるだろうが、おれは二、三十代のころは近代と猛烈に格闘した。お前は近代を単純化して片付けたつもりだろうが、おれのような苦労がない。そこが不満なところだな。

この教授から指摘された言葉は、のちに考えますとある意味でわたしに宛てた遺言のようにも思われます。というのは、この人こそ最初にラスキンへの関心の扉をひらいてくれた教授だったからです。ご本人はウィリアム・モリス研究に新風を吹き込み、そこに自分の立脚地を築き上げたばかりでした。NHK教育放送などジャーナリズムの寵児となりかけた矢先、過労に次ぐ過労で、北海道への講演旅行から帰宅した直後に心筋梗塞に倒れて不帰の人になってしまわれた。享年五十二。これから存分に自分の才能を発揮すべき人生の気運にさいわいにもあいまみえたその直後のことでした。

ここまでいささか私事にわたって饒舌を弄しすぎました。列子を引用しながら、講釈にとどまらぬ生き方ないし身の処し方を実践された安岡正篤という人に、いよいよ畏敬の念を覚えます。」

「ご講演の時にお名前があがった小野二郎さんですね。この『列子』の「かもめと少年」は、随分今まで考えてきたものです。立野先生の「道」にも関連しているようにも私は感じています。この「無心」の境地とはと考えています。よいお話を聞かせていただきありがとうございます。」

「こちらこそ。小野さんのことも書かねばと思っています。」

「山口勝朗さんは、ウィキペディアに出ていましたが今年九十八歳でご存命です。

そのウィキペディアの中に安岡氏の雅号があります。「瓢堂」「こ」はひさごで、日常生活に使う道具としては大きすぎ、あまり役に立たない物のたとえのようです。何か深いものを私は感じます。」

## 七月二十七日月曜日

午前九時四十分。書斎の椅子に腰かけたまま数時間眠ったようである。腰も脚もすっかり痛くなってしまった。夢うつつの半覚半睡時に、トルソー集を上梓するとして構成をどのようにすべきかを考えていた。旅を主題として編集することはまちがいないが、西脇順三郎の「旅人かへらず」のようなものではなく、散文詩集のおもむきを際立たせたい。したがって「同行二人」や「テルエルから来た男」を収録することはもとよりである。『行路の人』を仮題に考えているが、他の書に収録済みのものからも数編転載することになるだろう。だが版元を彩流社として考えるなら、既出のものをあんまり出すわけにはゆくまい。せいぜい一、二編か。多くても三編を超えない。

いずれにしろこれまで書いたものを一編ずつ刷り出して構成を考えてみる必要がある。最初にどれを持ってきて配置するかを決めなければならない。巻頭詩が大事である。次に大事なのは巻末詩だ。まずこの二編の選択から始める。巻頭詩は長からず、短からず、せいぜい二十行前後がいい。その代わり巻末は長いほうがよかろう。真ん中より少し後ろに散文紀行詩を並べる。出来れば旅の移り行きが感じられるように配置したい。厳密でなくてもいいが、旅の移動がそれ自体精神の一里塚となるような配置が望ましい。

かつて道の精神史を企てたことがあった。旅の精神史とも言い換えられよう。あるいは『旅の思想史』だったか。現にそのタイトルで本が出ている。著者は確かエリック・ロードだ。良書である。わたしの場合、『行路の人　道の精神史の試み』と名づけるのもわるくない。

仮題が徐々に主題を明確にする。あるいは逆に、主題を明確にすることが本のタイトルを絞り込んでゆくことになる。

阿部氏からM欄に。週末に投函した手紙と写真、それから山猫紀行が届いたと。

「先ほどポストに届いておりました。ざっとですが、一読してお写真を拝見しています。ここが、かつて古戦場と思うと、その風景にも複雑な雑念が思い浮かんできます。雲の存在が私の雑念に不思議と共鳴しています。何度か読み返して、また、ご返事をさせていただきます。ありがとうございます。

映画にしろ、小説にしろ、立野先生のように当事者としての確固たる意識のもとで鑑賞する、考えるという人は頗る稀なことだと思います。その小説から映画を通して、さらに、その歴史的場所に実際に赴かれる。そう簡単にできません。文章の行間に、その真意探求の熱意が伝わってきます。

原作と映画の違い、表現の違いを指摘されているところはすばらしいです。『黒い雨』のお辞儀の場面は原作にはなかったと言われていました。」

「ありがとうございます。シチリアの道もまたわが道にほかならぬと思いながら旅してきました。

新聞は字数に制限がありましたから考えたことのごく一部を記しただけですが、別の機会にもっとじっくりとしたためたいと思っています。」

数時間ののち阿部氏からこういうメールが届いた。しばらく席を離れていたらしいが、文脈はさきほどのこちらのメールへの応答となっている。

「立野先生のそうしたものに対する姿勢こそ、安岡氏が朝顔の花や笹の葉に露が溜まって玉のように凝っている「気魄」に通じます。その時、その場所でのパフォーマンスでは到底見られない気魄です。立野先生の文章は、その気魄から生まれたものです。

『黒い雨』では、原作にはないちょっとした神仏に祈りをこめた「お辞儀」に、この作品の重要なテーマをフォーカスされました。普通、見落とします。私は、佐々木先生の談話室のなかで、『スクリーンのなかへの旅』で、そのことに「立野先生の平和への祈り」を感じたと何年か前に書きました。原作を映画が超えたと言われた立野先生の言葉に、安岡氏がたとえた「気魄」を感じます。」

「そうでした。のちに平井さんに記事のコピーを送ったところ、手紙を書いてくれて、最初はモデルになっているのが自分と分かって照れくさく感じられたものの、何度か読み返すうちに、大事なことが語られていると分かってきた、とありました。わたしの映画の見方も、小説の読み方も、些細なことがきっかけで作品の向こう側にまで行ってしまうようなところがあり、まともな学問の研究者にはどうも向いていないらしいと思うにいたりました。

平井さんのようなれっきとした文学博士号を取得しているスコラーにはとうていなれぬと思い定め、自分にふさわしい向き合い方を作品と自分とのあいだに形成するほかないなと臍を固めました。それを理解してくれた数少ない学者が平井さんだったと思います。」

「先日の子規の文章を拝読して、机上に常に置いてたまに読み返しています。やはり、文章に安岡氏がたとえた気魄を平井さんの文章に感じます。鶯谷の子規の家での観察されたお姿は、まさにそのように感じます。子規の苦労を、少しでも実際に体験しなければというスケッチにかけられた思いは、誰にでもできることではありません。」

「同感です。エッセイにまとめる前、じかにあの話を聞いていましたが、座敷に上がり込んで横臥しながら手帳に自分もスケッチを試みたと聞いて驚かされました。かなわないと思いましたね。子規の本を作る前にイギリスで講演をやって、漱石と子規の話をしたそうですが、たいへん好評だったと言っていました。講演でもエピソードとして子規のようにスケッチをしたことを語ったのかもしれません。イギリス人の受講者たちは目を輝かせたでしょう。かれらは実証主義者ですから。」

「史実にしても人間の生涯においても、教科書にあるような表面的な結末だけでは、おそらく、真実とは程遠いものなんでしょう。その真実を書くためには、執筆者の気魄と道者的姿勢が不可欠のように思います。その真実だけが、後世の人への委託としての価値がある。そんなことを思います。」

「おっしゃることに心から同感です。むかし水上勉が師である宇野浩二の伝記を書きました。新聞に伝記執筆を終えて随筆が掲載されたので読みました。すると、「真実は愛惜の眼底にしか映らない」という文言がありました。わたしはすぐに宇野浩二伝を購入して通読しました。以来、水上勉がすきになり、ずっとのちのことですが全集を購入するにいたりました。阿部さんが言われる気魄と道者的姿勢が水上勉にも感じられます。要するに自分が最も引かれるのもその二つの要素にちがいないと思います。」

「真実は、人間の内面に横たわっているように感じます。確かに社会は利害打算で動き、要領を素早く満たした者が成功者として周囲から崇められ尊重される。しかし、それはあくまで「要領の良さ」であり、そこには「宗教的な心がまえ」はないでしょう。特に国の要職を司る人がそうであれば、国民の士気は下がります。論理的に合っていても道理的には合っていない。そんな時代です。そこにこそ、真実があり、どうしなければならないかの糸口がある。立野先生の著書もそこに着眼されているのではないでしょうか。そんなことを感じますね。」

「論理的であることよりも、道理的であることを目指す。いまこの世に最も必要と思われる生き方ですね。ものごとの道理をわきまえよ、という言葉にかつて反発を覚えたこともありましたが、須山先生がことあるごとに道義的であるかないかを問題にされていたのを思い出します。反発は一時的であっても、道理の徹底は時代を超えて普遍的な要請であると思います。」

「安岡氏が、道理というのは実生活であり、実践のなかから生まれる生きたものだと言っていました。やはり、机上で考えるだけでは限界があり、現地に赴き自身の肌で感じる必要性があり、そこから導き出されるものが道理であり、真実なのでしょう。まさに「道」の理です。巡礼時のお姿そのものです。須山氏も素晴らしい方だと改めて感じます。「独りで歩け」は、実生活から導き出された応援歌です。」

「現地の土を踏んでみると、書物や映像から受け取って思い描いていたのと異なる事実を目の当たりにすることもたびたびです。道理とは普遍的なものとは言っても、それが実生活や実践と結びついているのでなければ、真実が真実の次元まで降りてこない。

シチリアの旅の一端をお話しすれば、『山猫』の原作者の旧居がいまでは記念館になっていますが、出向いてみるとなんとなく町自体にがらんとした印象を受けました。それもそのはず、シチリアのこの一帯は半世紀前に大地震に見舞われ、家屋の倒壊甚だしく、街の景観がすっかり損なわれたため、街並みそのものが建て替えられたのです。作家の旧居は豪邸でしたがやはりかなり損傷を受け、かつての優雅な貴族的趣きを失っていました。館に隣接して一族専用の教会があるのですが、そこも天井が落ち、現在は地震記念博物館に姿を変えていました。ことほどさように、原作の時代はたんに時間の経過によって過去のものとなったというだけではなく、その後の自然の思いもよらない作用が、時間の推移にさらに劇的な変化を加えることも珍しくはないわけです。この変化を抜きにしてわたしは自分の紀行を書くことは出来ません。そのため、当時の地震の被害状況や周辺にまで及んだ影響のことなどを調べているうちに時間が経過してゆき、なかなか紀行にまとめることが出来ずにいるわけです。ほぼ同じことがサナブリア湖におもむいた際にも言えます。

旅の動機となったものは、そのまま旅の実際とはけっして申されず、自分の内部にかたちづくられた観念やイメージは、旅から帰って型通りの実証として報告すればよいわけではありません。原作とその映画化が同じものであり得ぬごとく、原作または映画と現地の真実もまた異なっているからです。

あたりまえのことを申すようですが、物語に魅入られてしまったために現地にまで出かけたいという衝動を抑えられなくなったわたしのような一種クレイジーな人間は、その落差に打ちのめされることしばしばであることも告白せねばなりません。落胆と失意もさることながら、それ以上に深刻なのは、思いもかけない事実に遭遇したため新たな衝撃を現実として受け、物語から引き剥がされてしまうことです。机上の研究者はその経験をまぬがれています。したがって当人の勤勉の度合いが減退しない限り、着実に「成果」も期待できるというわけです。学会での報告とはそういう勤労と成果の相互披露の場であってそれ以上ではありません。わたしが学会などに一切の興味を失ったのは、それらの勤労と成果には安岡氏の言う「盡己」がほとんどまったく不在だと悟ったからにほかなりません。その言葉を知ったのはついこのごろとはいえ、ありようはまさにその通りであったのです。」

「本当にためになる良いお話しありがとうございます。真実というものは「簡単に割り切れない」ものなんでしょう。割り切って捨ててしまったところに重要なカギがあるということもままあると思います。「気魄」、「道者的姿勢」、「宗教的な心がまえ」に則って、真実を追求するためには、ある意味「クレイジー」にならざるを得ません。また、そこにこそ将来の希望があるように思います。立野先生のご著書には、「真実」が輝いています。」

「こちらこそ、長広舌に耳を傾けていただき感謝申し上げます。真実というものが多面性を帯びた複雑な実体であることを踏まえて言ったラスキンのこういう言葉が思い出されます。自分は一つの意見に対して六つの異なる意見を自分のうちで吟味してみて、初めて自分が真剣にその問題を考察しているのだとみなす、とラスキンは言ったのです。以て瞑すべしですね。」

「安岡氏も最晩年は認知症になってしまい、細木数子と入籍問題で世間を騒がせました。これも真実なことです。本当に人間が生きるということに、これはという答えがないというのも事実です。ニヒリズムというのも当然なことのようにも思います。「死もまた探求途上の中継地」。立野先生には大きな使命があるように私には思えてなりません。」

「ああ、そうだったのですか。細木氏とのことはいささか不思議なことのように思っておりました。」

「最晩年のころ、講演会で同じことを繰り返すことが多くなったようです。碩学でさえそうなることもあるんですね。私の憶測ですが、安岡氏は大変お酒が好きだったようで、一緒に飲んでも必ずお酒で負けたことがなかったようです。それにヘビースモーカーだったようです。そういうのもあるのかなとも思います。」

「身につまされる話です。わたしは煙草は止めていますが、酒は飲みます。このごろ弱くなってはきたものの、同年代の人たちと比べるとかなり飲むほうでしょう。外で飲むときは抑制が必要です。」

「笹川良一という競艇のドンがいました。安岡氏とは若いころから親友だったそうで、経済的援助もされた人です。その笹川さんが、安岡氏は学問に一生を捧げて最晩年の細木さんとのことがなかったら全くつまらない人生だったと辛辣なことを言ってました。しかし、安岡氏は笹川さんを悪いやつではないと周りには言われていたそうです。」

「はあ、そうなんですか。人の評価は分からないものですね。伝記を書いても面白くないような、つまらないとしか見えない人生も、外面とは異なる深遠なものを秘めていることもあるでしょう。カントの伝記など読んでも面白くなさそうですが、思想形成の観点からの内的伝記は読んでみたいものです。」

「相撲の双葉山とも親交があったようで、荘子の「木鶏」の話を双葉山に教えて、それに感銘を受けて精進した話は有名です。六十九連勝で止まった時、安岡氏は海外旅行で船上にいました。双葉山が安岡氏に「ワレイマダ木鶏タリエズ」と電報を打ったそうです。」

「それはいい話ですね。覚えておきたくなるような話です。」

「安岡氏も、やはり、人間の内面、心田の開拓に、その教えの要があったように思います。しかし、これが心中の賊でやっかいなものなんです。」

「心中の族、よく分かります。分かりすぎるくらいです（笑）。……いや、賊ですね。分かっていませんでした（笑）。」

「そういうことを私も私なりに考えてきました。しかし、日暮れて道遠しです。一つには、そういうことに感化させてくれるような本ですね。これを座右におき、実践のなかで自分を試す。この繰返しです。そういう意味では、佐々木先生、立野先生には学ぶところ多く、まさに、謦咳に接すです。」

「阿部さんが座右の書とされているのはやはりヒルティでしょう。翻ってわたしの場合はなんだろうと考えると、一冊はもとより、五冊あるいは十冊を挙げよと言われても、躊躇が先に立ってしまいそうです。大西巨人の文学がはいることはまちがいないところですが、そのほかとなるとあれもこれもと言いたくなります。」

「確かに三十代のころに比べると少しはましになったかなとも思いますが、同じ本でも考え続けていると突然分かったような気がすることもあります。立野先生のように多くの書物を探求されていれば、その功徳も計り知れません。『東洋的学風』のなかに、古典からひらめきのようなものを導き出されて難局を乗り越える糧になるようなことが書いてありますが、実際そうなんだと思います。三〇八ページの「古典的教養の価値実用」というのは、結構感じるものがあります。」

「なるほど、西欧の子弟は学校でラテン語を習う習わしがありました。大学でギリシアの古典を勉強するのは、卒業してなんの役に立てようということではなく、純然たる教養からであることは知っていましたが、教養の実用性ということはあまり聞いたことがなかったようです。安岡氏の説明でなるほどと合点がいきました。」

「古典を渉猟していないので憶測ですが、人間の本質を問うたものが多いんじゃないでしょうか。そして、結局、自己の内面を開拓しない限り、ただ人生に流されるだけの一生になりやすい。安岡氏は、性善説でした。本来人間には良いものがあって、それをエデュケートするのが教育で、全く良いものが存在しなければ引き出すことは不可能だと。古典には、その引き出すものが豊富に散らばっているんでしょうね。これは、中江藤樹なども同じことを言っています。」

「恩師の一人、橘忠衛先生も同じことを言っていました。古典を読むようにとつねづね言っておられました。エデュケートのもとの意味は引き出すということであると、エッセイにも書かれています。」

「こうして考えていくと、真の識者は同じことを言っているように思います。「引き出す」ものは、古典であり、立野先生を拝察すれば巡礼の旅にもあるように思います。そこを考えてみようと思います。着眼としては、人間の本質に関係しているようにも思います。」

### 七月二十八日火曜日

阿部氏からM欄に。

「今朝、安岡氏の『古典を読む』を久しぶりに読んでいましたら、こんなことが書いてありました。

「いかなる時勢の変革もその実必ず独醒の士より始まるのである。奮起する独醒の士、これ孟子いわゆる猶興の豪傑である。猶興の豪傑を求め、これを結び、これを起たしめる、これより外に時代の救いようはない。」

私は、立野先生が四半世紀あまり巡礼路をお一人で歩まれたことに、この「独醒の士」を思い浮かべてしまいます。王陽明の『抜本塞源論』のなかでの言葉でしたが、立野先生にこれは全文読んでいただいた方がよいと思いますので、コピーしてお送りします。十五ページほどです。」

「たびたびのご厚意、恐縮です。ところで、阿部さんのお誕生日ですね。おめでとうございます。ますますお元気でお過ごしください。ときどきわたしと同年か、わたしよりも年長の方かと思うほどですが、じつは十歳以上もお若いのだったと思い出し、健康に留意するべきはむしろ自分のほうだったと、苦笑まじりに反省する次第です。いわゆる基礎疾患をかかえる身ではありますが、コロナウイルスで海外旅行もままならない状況でなければ、ことしも何処かを歩いているところだったかもしれません。自粛の日々ながら足腰は最低限の運動で衰えないようにしております。阿部さんもなにか工夫をなさっておいでと拝察しますが、体力が伴わないと日々の活動もとかく不自由になりがちですから、お互いケアを怠らず生活したいものです。」

「ありがとうございます。まさに、私は基礎疾患をかかえています。主治医のおかげで何とかやっているのが現状で、とにかく痩せろと始終言われます（笑）。今後ともよろしくお願いします。」

「わたしの主治医も同じことを言っています。ところが、自粛のあいだにベルトのボタン穴の位置が徐々に移動を余儀なくされている始末です（笑）。」

「立野先生はお若いです。先ほど投函しておきました。」

### 七月二十九日水曜日

シェリーの「オジマンディアス」はわたしの好きな詩である。ユーチューブで英国の講座教師や俳優たちの朗読を聞くことが出来る。教師らの朗読は棒読みで聞くに堪えないが、ヴィンセント・プライス、リチャード・アッテンボローらの朗読は素晴らしい。

いにしえの土地から帰った一人の旅人と出会った。旅人は語った。
巨大な石造りの胴のない二本の足が砂漠のなかに立っている。
かたわらの砂上には砕けた顔面が半ば埋もれている。
唇は歪み、皺が寄り、支配者の冷笑と尊大さが見て取れる。
像を彫った人々には分かっていた。
それゆえ支配への情念を身振りで示す手と、
その情念を育てた胸のうちを、
生命なきとはいえ、石に刻印していまに伝えている。
台座にはこう刻まれている。
「わが名はオジマンディアス、王のなかの王なり。
全能なる者よ、わがなせし功業を見よ、しかして絶望せよ！」
それ以外に残存するものは皆無。
朽ち果てた巨大な石の廃墟の四方は、平らな砂の海。
一望遮るものなく彼方へと続いている。

阿部氏宛てM欄に。

「さきほど周辺の人の行き来が少なくなったのを見計らい、階下に降りて郵便受けを確かめて来ました。お手紙無事に届いておりました。ありがとうございます。一読したところですが、『山猫』とシチリアについて書いた拙文をご精読くださって、非常に嬉しく思っております。ほんの二、三の人たちが感想を寄せてくれただけで、あとはさしたる反応もなかっただけに、ありがたいお手紙です。拙文の後半、公爵と大佐との対話に目を向けて、歴史のなかの変化するものと不変のものについて考えてみようとしたところに、阿部さんが注目してくださったのは筆者としてとくに愉快です。わが意を得た心地です。「宗教的心がまえ」とはどういうものか、また一歩掘り下げてゆくことが出来そうに思います。」

「「宗教的心がまえ」とはどういうものか。孔子の論語にこういう言葉があります。「過ちを改めざるこれを過ちという」。人間、聖人君子でもない限り、最初から賢明な判断はできません。もし、自分が間違った判断をしたならば、後で改める。わたしは、そういう意味でも「宗教的心がまえ」を考えています。」

「なるほどと思います。まちがっても、まちがっても、改めようとしないこの国の政治家の愚かなだけの頑迷さとは天地雲泥の境位を理解する人々が求められますね。」

「卑近な話で恐縮ですが、今日、母の病院へ行って、病院では毎日決められた時間内なら見舞いが許されているんですが、師長に呼び止められ一週間に一度にしてもらいたいと言われ、病院のルールとは違いますねとやや感情的に答えてしまい、帰宅後、病院の事務の顔見知りの方に、私の言ったことは間違いでした、師長に週一、二回程度にしますと伝えてほしいと電話しました。これだけ感染が広がっていることについて、病院側の立場から考えられなかったことを反省した次第です。

答えがすぐ出せないような問題は、沈黙を守って後で冷静に考えてから答えるべきでした。感情的になって良いことはありません。たとえ、こちらにほとんど非がなくとも、完全にないということはないので、視野を広く考える。そういうこともある意味「宗教的心がまえ」の実践のように思います。」

「当事者になってみるとなかなかむずかしいことですね。といって、客観的な面付きをした傍観者という存在にも腹が立ちます。当事者の積極性を掣肘しつつ、どのように現実に果敢に関わってゆくことが出来るだろう。そういうことを考えながら、試行錯誤の人生を歩いて来たような気がします。バカとか、ド素人とか、政治音痴とか、いろいろな嘲笑も浴びせられました。」

「「実践」ということだと思います。実践のなかで学ぶことが大切なように私は思います。そして、そこでの失敗が人間を大きくさせてくれる。論理的に正しくとも道理的にどうかと考える癖をつける。そう思いますね。結局、「宗教的心がまえ」は物事の分析ではなく、人間としてどうあらねばならないかを自分の内面との対話を通して導き出されることのように思います。分析とは論理であり、そこに内面を通さなければ道理にならない。」

「試行錯誤もまた実践と考えれば、たとい過った場合でもやり直そうという謙虚さに立ち戻ることが出来ますね。試行錯誤の繰り返しで人が言うように自分は愚かで無能な人間でしかないと思い詰めると、謙虚さという心の余裕が失われ、ただ腹が立ってならない。余裕を失っていよいよまずいほうにばかり拍車がかかる。自分を見失うとはそういうことですね。論理が支離滅裂になってくるとよけいに逆上してしまうので、いよいよものごとの道理が見えにくくなる。内面を通そうにもすでに内面が閉ざされてしまっているわけです。身に覚えのあることです。」

「立野先生のご著書の題名「未完なるものへの情熱」。これが人間の真の姿のように思います。どこまでも未完の自己を、未完のまま内面を通して実践する。その姿勢を持ち続ける限り、その人の根底には常に「宗教的心がまえ」を内包している。「謙虚さ」はそこから自ずと現れてくるように思います。」

「これまでわたしが上梓してきた拙著は、よく言えば「未完なるものへの情熱」ですが、反面からすれば「果てしなき試行錯誤の書」とも言われるべきものでしょう。ただし自戒すべきことは、試行を続けることを止めたくなる自分の弱さです。その弱さを謙虚さと取り違えてはならない。自己を正当化したいために、ときとして内なる賊にたぶらかされてしまいそうになります。」

「立野先生のお言葉は重い、実に重いです。どこまでも、「ごまかさない自己」を貫いていく。形式的なものは尊重はするが、それに拘ることもしない。はたして、自分はできるのか。いや、やらなければならない。まさに、安岡氏の「盡己」ですね。」

「盡己。そうです。in sich selbst Seinです。概念としてはずっと考えてきましたが、そういう適語が自分の頭からは出てきませんでした。己を尽くす。漱石の言う「自己本位」に通じる生き方ですね。」

**七月三十日木曜日**

きのうの仕事はジンネマン自伝について『月水金』に書いたエッセイを書き写してデータに移行する作業。十枚にも満たないものだが自分で読み直してわるくないと思ったから、いずれ映画論を上梓するときは収録しようと考えている。わたしがまだ見ていないジンネマン作品で『第七の十字架』というのがある。アンナ・ゼーガースの同名の原作を映画化したもの。ゼーガースの原作は近ごろ岩波文庫に収録されたので購入しておいた。原作を読もうかと思う。映画も安価とは言えないが取り寄せようかと考えている。

　だが、待てよ。原稿の仕事を優先すべきではないか。手入れの必要な原稿がいくらもあるからだ。一日のノルマを決めて牛歩の歩みなりとも前に進めなくてはならぬ。

　伊藤君からメールが来た。

「先生のメールのなかで、ルー・サロメの出発は、「人間は無機質の宇宙の空間に放り出された存在にすぎないことをルー・サロメは思い知らされました」と言われています。このときの「認識」というものが、わたしが（日本人が）西洋近代を勉強しなければいけない、血肉として自分の物の考え方の根柢としなければいけない、そのことと深くかかわるように思います。

　林達夫と安岡正篤の交流もメールを読んでとても気持ちのよいものでした。安岡、吉川英治、そして『武蔵』の誕生という血脈も興味深いです。林と安岡の関係は、わたしに先生と執行さんの関係をも連想させます。最後に、ノサックの『ルキウス・エウリヌスの遺書』の一節を引用させてください。ここにふさわしいのではなかろうかと思います。

「独自な個性をもつひとと交わるのはかならず得るところのあるものなのだ。世の中にそういうひとはあまり多くはいないのだよ。たとえばこのローマに、あるいはわれわれの色褪せた社交界に何人いると思う。そういうひとがある種の事柄に関してわれわれとは別な考えをもっているとしてもたいして重要なことではない。それはそのひとの価値とは何の関係もない。たとえ別な流儀によってであろうと、物事をその窮極までつきつめて考えたひとが言うことは、すぐに理解できるのだ。」

　追伸　『知性の愁い　アナトール・フランスとの対話』を読みました。ここにはアナトール・フランスの、文学へ行かねばならなかった「必然の悲しさ」が語られています。フランスは、古代バビロニアの牧人たちに向かって「不幸な者たちよ！」と憐れんでいます。彼らは星々に感嘆するだけでは満足しなかった、星々に名をつけなければ気がすまなかった、と。それは、幸福であるためには自分（が存在していること）を忘れなければならないが、「私にはそれができなかったのだ」と告白するフランスと重なります。フランスにとって、文学は最後の拠り所であった。文学だけが、自分の近代主義者としての懐疑を、作品において自己超克し得る。読後しばらくのあいだ椅子から立ち上がることができませんでした。」

「伊藤君、メールありがとう。内容充実したメールを拝見しているところですが、このメールは最前わたしから送ったメールと、もしかして行き違いになりましたか。トルソー次号の表紙用にどうかと思い、添付にしないまま送りました。ちょっと確認をお願いします。」

「立野先生、ご連絡ありがとうございます。メールが入れ違いになってしまいました。失礼いたしました。

凄い写真です！　これぞトルソーという一枚です。空に向かってそびえ立つその大きさ、重み。長い歳月のみが付与し得るもの。過去の『トルソー』の表紙写真を思い浮かべるとき、ボスの絵と並んでスケールという点でもっとも大きくかつ強烈なる、異様な感銘をあたえること間違いないと思われます。

この写真を見ると、大佛次郎の特集のときにぶつけてみたいという気もします。いずれにしましても次号候補の一枚としてお預かりをさせてください。

最上川氾濫のニュースはしきりに報じていますが、釜石線にも影響が出ていることは知りませんでした。

このところの九州地方の豪雨も深刻なようです。なかでも熊本の球磨地区が壊滅的な打撃を受けているようですが、球磨と聞いてまず脳裡に浮んだのは北御門二郎のことでした。かれの蔵書は大丈夫だったろうか（球磨に住む遺族が大切に保管していることを以前インターネットで読みました）。かれの子孫が引き継いでいる農地は無事だったろうか。

大分は福岡との県境が甚大な被害を受けているようですが、幸いわたしの家族親類に直接の影響が出ているとは聞きません。

先生も自粛生活のストレスがたまることと推察をします。わたしも勤務と「思想運動」の事務所に行く以外ではあまり外出はしていません。とはいえ先日熊谷守一美術館に行って、このときばかりは充実したひとときを過ごしました。

伊藤龍哉」

「伊藤君、やはり行き違いになったようですね。ひとまず安心しました。」

「立野先生、ご連絡ありがとうございます。写真は無事に受けとり、拝見しました。先ほど返信メールを送信したところです。これから、いただいた写真データをＰＤＦにしてＵＳＢに保存いたします。」

## 七月三十一日金曜日

阿部氏から送られた安岡氏の「抜本塞源論」を読む。もとは漢文であるからむずかしいが意味は分かる。Ｍ欄に次のように書く。

「「抜本塞源論」がきのう届きました。ありがとうございます。独醒の士が放つ良知の光、その光を求めて漂泊し、長い旅を続けているような気がします。

独醒は決して独醒でなく、同気、同志、同類によって一の力を生じ、勢いを作る。それを信じ抜くことが生きてゆく支えである。「宗教的心がまえ」を言い換えるならばそういうことですね。ウィリアム・モリスが「フェローシップ」という語に込めた意味とも通じ合うものがあります。」

詩集トルソーの編集をする。字体を整えたり、字句を訂正したり、プリントアウトしたり、面倒な作業である。しかもこの数日パソコンがひどく動作がのろい。なにかソフトの契約期間が切れたらしい。そのため作業は面倒であるだけでなく、手間がかかること甚だしい。それでもとにかく編集に着手はした。

# 編集後記

▼今号を手に取った方は、まず、表紙いっぱいの緑に目が行くのではないかと思うのですが、どうでしょうか。わたしは左上の明るさに気をとられ、トンネルの出口ないしは入口に佇む人影の存在には、すぐに気が付きませんでしたが、皆さんは最初から注目されていたでしょうか。〈表紙写真解題〉を読んだ人は、撮影者がこのとき見たものは何かをすでに知っていると思います。さて、今号の特集は岡本かの子でした。立野は、かの子の代表作「老妓抄」を取り上げています。「老妓抄」にかぎらず、かの子の文学の特徴は「いよよ華やぐいのちなりけり」という言葉に集約されるのではないかと思います。立野は「なにか突き返す強さが内側になければこのような表現は出てこないだろう」と書いています。そして、「なにかに賭ける力、期待する力もまたパッション」であり、「後続の誰かに託す、あるいは誰かに可能性を見いだす、この可能性を見いだして賭けるということもパッション」だという指摘は、文学の本質を突いていると思われます。立野に限らず、牧子、杉田も、かの子作品の「老い」と「いのち」に着目しており、自然とそれぞれが有機的につながるような特集となったのではないかと、手前みそながら思っています。牧子は晩年の上田秋成が一人で夕餉をとる場面に「自身もよくわからぬ何物かを追い求める執念が、『いのち』を生きぬくことだというかの子作品のテーマ」がすでにあるとします。杉田が注目した、庭に敷き腐る椿のことを詠んだ歌には、美が枯れていくなかにも「華やぐいのち」を見るかの子のパッションがあるといえるでしょう。皆さんは特集をどう読まれたか、ご意見をお待ちしています。

（E・Y）

▼日頃わたしは赤坂のホテルで夜勤勤めをしているから、本誌の編集作業が立て込む段になると、朝仕事を終えたその足で出版社（スペース伽耶）へ向かう日が多くなる。地下鉄の赤坂駅から湯島駅に揺られ、坂道をつたい本郷三丁目まで歩く。その道すがらひとつの歌碑が建つ。「二晩おきに夜の一時頃に切通の坂を上りしも――勤めなればかな。」ここを夜の一時頃、湯島神社の石垣をまさぐりながら、暗い坂道を上ったのは石川啄木であった。当時啄木は朝日新聞社で校正の仕事をしていた。二晩おきに夜勤もあった。家にたどりつけば六畳二間に両親と妻と幼子が待つ。一家五人の生活は若い啄木の双肩に重くのしかかっていた。切通坂を行く啄木の胸中には何が去来したであろうか。その啄木晩年の友に土岐哀果があった。次に引くのは啄木の死に面して哀果の詠める歌。「『おい、これからも頼むぞ』と言ひて死にし、この追憶をひそかに怖る」。われわれは皆、中途で仆れるしかない存在であるが、それにしても「これからも頼むぞ」とは何と怖ろしい言葉であろう。啄木は「文学」の名において、哀果に「文学」を託した。そうであってみれば、われわれ同人もまた等しく委託された者であって、この怖ろしさによく耐えて、めいめいが自己の文学を完遂するために精一杯努力し続けなければならない。『トルソー』はそのための「文学の場」でありたい。第六号の出版にあたり思うところです。▼今回はこれまでになく早いペースで刊行することが出来ました。これも偏にスペース伽耶の廣野茅乃さん、デザイナーの追川恵子さんの協力あってのこと。また、画家の金山政紀さん提供のカットを、どの原稿に当てるか、これも編集の楽しみです。お三方に感謝申し上げます。

（T・I）

トルソー　第六号（二〇二二年一月）
二〇二二年一月三十一日発行
編　集　群島の会
〒101-0062　千代田区神田駿河台一―一
明治大学文学部　塚田麻里子研究室内
電話 FAX　〇三（三二九六）二二三九
発行所　株式会社　スペース伽耶
〒113-0033　東京都文京区本郷三―二九―一〇
飯島ビル2F
電　話　〇三（五八〇二）三八〇五
FAX　〇三（五八〇二）三八〇六
発売所　株式会社　星雲社（共同出版社・流通責任出版社）
〒112-0005　東京都文京区水道一―三―三〇
電　話　〇三（三八六八）三二七五
FAX　〇三（三八六八）六五八八
印刷＝モリモト印刷株式会社
乱丁・落丁本はおとりかえします。

ISBN978-4-434-28620-9